Prism

Cyfres yr Onnen

Diolchiadau
I bawb yn Y Lolfa, yn enwedig Alun Jones, y golygydd
I Meinir Edwards am beidio â chwyno wrth i mi ffysian am y clawr
I Lisa a Laura, Llyfrgell Tywyn
I Nic, Efan a Ger Lleu am eu mwynder

Prism

MANON STEFFAN ROS

y Lolfa

I Nic,
sy'n gweld y lliwiau i gyd

Argraffiad cyntaf: 2011

Comisiynwyd y gyfrol hon gyda chymorth ariannol Adran Plant,
Addysg, Dysgu Gydol Oes a Sgiliau

Cynllun y clawr: Cyngor Llyfrau Cymru

Rhif Llyfr Rhyngwladol: 978 1 84771 345 2

Cyhoeddwyd ac argraffwyd yng Nghymru
gan Y Lolfa Cyf., Talybont, Ceredigion SY24 5HE
gwefan www.ylolfa.com
e-bost ylolfa@ylolfa.com
ffôn 01970 832 304
ffacs 832 782

Gwaith Cartref
Awst 30ain 2010

WAETH I MI gyfaddef rŵan, ar y dechrau. Dw i am drio bod mor onest â phosib, ac felly dw i am ddechrau drwy ddweud mai hen syniad gwirion oedd o. Rhywbeth a ddaeth i'r meddwl ar eiliad wan, a minna mewn tymer ofnadwy. Ar y pryd, dach chi'n gweld, ro'n i'n meddwl mai hwn oedd y syniad gora rioed, yr ateb i fy holl broblemau. Tawn i ond wedi meddwl yn gall am y peth, mi fyddwn i wedi gallu gweld mai cynllun gwael oedd o. Fedrwch chi ddim gobeithio datrys problem drwy redeg i ffwrdd.

O ia, a thra ydw i'n cofio, waeth i mi gyfaddef rhywbeth arall hefyd. I chi'n bersonol, Miss Jenkins. Dw i'n gwybod nad dyma'r math o beth oedd gynnoch chi mewn golwg pan wnaethoch chi osod y gwaith cartref dros yr haf.

'Dw i'n disgwyl prosiect cynhwysfawr,' meddech chi, cyn anwybyddu'r holl brotestio a ddaeth wedyn. 'Prosiect ar Gymru. Dw i am weld ffeithiau, lluniau, ac olion ymchwilio ar eich gwaith. Defnyddiwch y llyfrgell, a'r we, ond da chi, peidiwch â chopïo gwaith unrhyw un arall.'

Gobeithio nad oes ormod o ots gynnoch chi mod i'n dweud, Miss Jenkins, ond roeddech chi'n flin ofnadwy pnawn hwnnw. Wnaethoch chi ddim edrych arnon ni pan gyrhaeddon ni'r dosbarth, na dymuno gwyliau braf i ni chwaith. Bydd y rhan fwyaf o athrawon yn gadael i ni wneud be liciwn ni ar ddiwrnod ola'r tymor – roedd Mr Tomos Ffiseg wedi dod â gêmau cyfrifiadurol efo fo – felly pan ofynnoch chi i ni estyn ein llyfrau Daearyddiaeth o'n bagiau, roedd yr holl beth yn dipyn o siom.

'Peidiwch â bod mor annheg, Miss!' meddai Cai, yn gwneud stumiau fel tasa rhywun wedi torri gwynt o dan ei drwyn. Mi wnaeth o arwydd digywilydd y tu ôl i'ch cefn chi hefyd, pan droesoch chi i sgwennu ar y bwrdd gwyn.

A dweud y gwir, Miss Jenkins, un fel 'na ydi Cai. Mae o'n licio meddwl ei fod o'n foi caled, ond y gwir ydi, does 'na fawr ddim yn digwydd rhwng ei glustiau. Mi benderfynodd o rywdro y dylai pawb ei alw fo'n Cai Calzaghe, am ei fod o'n gweld ei hun yn debyg i'r bocsiwr Joe Calzaghe, wyddoch chi – ond wnaeth neb wrando arno. Dydw i ddim yn meddwl bod yr enw'n gweddu iddo fo. Mae'n debyg na ddylwn i ddweud hyn wrthoch chi, ond mi rois i ddyrnod go galed i Cai i lawr yn y dre y llynedd, a doedd 'na ddim byd yn ddewr amdano fo'r adeg honno.

Gadewch i mi esbonio – dydw i ddim am i chi feddwl mod i'n un am ddyrnu pobol heb fod gen i reswm dros wneud hynny. Dydd Sadwrn oedd hi, ychydig wythnosau cyn Dolig, ac roedd Math, fy mrawd, a minna'n cicio'n sodlau o gwmpas y dre tra oedd Mam yn y siop trin gwallt. Fydd hi ddim yn mynd yn aml, a tydi hi ddim yn mynd i'r salons drud yma pan fydd hi'n mynd, ond roedd ganddi hi barti gwaith y noson honno ac roedd angen tacluso'i gwallt. Felly dyma Math a minna'n crwydro'r siopau am awran go lew, i aros amdani.

Roedd hi'n ofnadwy o brysur yn dre, a hithau mor agos at y Dolig: Ciws mawr ym mhob siop, a phawb yn edrych fel tasa'r byd ar fin dod i ben. Rŵan, dydw i ddim yn licio siopa o gwbl, ond ro'n i'n poeni'n arbennig ar y diwrnod hwnnw am ddau reswm penodol.

Y rheswm cynta oedd Math. Dydach chi ddim yn nabod fy mrawd. Mae o'n wahanol... Yn sbeshal, meddai Mam. Pan dach chi'n siarad efo fo, mae'n amlwg o'r olwg sy ar ei wyneb o nad ydi o'n gwrando dim, fel tasa'i hanner o mewn byd arall. Tydi o ddim yn dallt jôcs; does ganddo fo ddim ffrindiau go iawn ac mae pethau gwirion yn ei ypsetio fo. Tydw i ond rhyw dair blynedd yn hŷn na fo, ond mae'n teimlo fel deng mlynedd: dw i'n gorfod edrych ar ei ôl o fel tasa fo'n hogyn bach.

Beth bynnag. Mi gewch chi gwrdd â fo eich hunan yn ddigon buan: mae o'n dechrau yn yr ysgol ar ôl yr haf.

Y peth arall oedd yn fy mhoeni oedd bod torf fawr o bobol yng Nghaernarfon y pnawn Sadwrn hwnnw – tydi Math ddim yn grêt efo pobol. Mi wyddwn o brofiad bod posibilrwydd mawr y byddai o'n ypsetio.

Ro'n i yn llygad fy lle. Yn Smith's y digwyddodd o, a ninnau'n sbio ar y gêmau cyfrifiadurol. Ro'n i'n canolbwyntio ar un ohonyn nhw, un ro'n i wedi gofyn amdani'n bresant Dolig. Sylwais i ddim fod y siop yn dechrau llenwi nes i Math ddechrau nadu.

'Llawer o bobol, Twm. Llawer gormod.'

Edrychais i fyny a gweld bod Math yn iawn. Roedd pobol ym mhobman, a'u breichiau'n llawn llyfrau a DVDs. Dechreuodd Math symud ei bwysau o un goes i'r llall, fel bydd o'n ei wneud pan fydd o'n poeni.

Mi rois i'r gêm yn ôl ar y silff yn reit sydyn. Ro'n i'n gwybod na fyddai'n cymryd rhyw lawer i gynhyrfu Math wedyn, a do'n i ddim am i hynny ddigwydd, yn enwedig mewn siop brysur.

Yn anffodus, fel ro'n i'n tynnu Math gerfydd ei lawes i gyfeiriad y drws, mi wthiodd clamp o ddynes fawr dew heibio i ni, a'i breichiau'n llawn llyfrau. Roedd ei hwyneb yn goch ac yn chwyslyd, a chudynnau o'i gwallt golau'n glynu'n gyrlau at ei thalcen. Edrychai'n brysur, yn flinedig, ac yn orlwythog, ac mae'n siŵr na fyddai wedi meddwl ddwywaith am y ffaith iddi daro Math â'i phenelin petai o heb ddechrau sgrechian.

'Cau dy geg, Math! Mae pawb yn sbio!' ysgyrnygais drwy 'nannedd. Roedd yn wir – roedd pob pâr o lygaid yn y siop wedi troi i gyfeiriad fy mrawd, a hwnnw'n gweiddi 'A-a-a-a!' fel tasai o newydd gael codwm ofnadwy. Sylwodd Math hefyd fod pawb yn syllu arno fo, ac mi wnaeth hynny iddo deimlo'n fwy nerfus, a gwaeddodd yn uwch.

'Mae'n ddrwg gen i,' ymddiheurodd y ddynes gan gochi. 'Do'n i ddim yn bwriadu 'i frifo fo.'

'Wnaethoch chi ddim,' eglurais. 'Un fel 'na ydi o.' Wn i ddim a glywodd hi fi dros y gweiddi.

Doedd 'na ddim tewi ar Math. Unwaith mae o'n dechrau, does fawr y medr unrhyw un ei wneud i'w stopio fo. Roedd yr hen ferched a'u hwynebau crychiog yn teimlo cymaint o bechod drosto fo, tra oedd ambell un yn meddwl bod angen chwip din iawn arno. Safai Cai a'i griw wrth y cylchgronau, yn cael modd i fyw. Cyn gynted ag y gwelais i nhw, mi deimlais fy nhymer yn codi.

Roedd Cai'n dynwared Math, dach chi'n gweld. Yn symud ei bwysau o'r naill droed i'r llall, yn union fel Math, a'i lygaid o'n wag fel tasa fo'n gweld dim. Roedd ei ffrindiau yn eu dyblau yn gwylio'r sioe.

Cydiais yn llawes Math a'i lusgo allan o'r siop. Roedd y stryd yn brysur, ond cyn gynted ag y teimlodd Math yr awel oer ar ei wyneb, rhoddodd y gorau i'r gweiddi. Gwnâi ryw sŵn bychan o dan ei wynt, fel tasa fo'n trio dod ato'i hun.

Llusgais fy mrawd at y coed wrth ochr y sgwâr. Roedd y goleuadau Nadolig yn y canghennau'n disgleirio fel sêr uwch ein pennau. Ymhen ychydig, tawodd Math yn llwyr, ac mi beidiodd y symud.

'Pam gwnest ti hynna?' gofynnais iddo.

'Be?'

'Gweiddi yn y siop 'na. Roedd pawb yn sbio.'

'Y ddynes dew wnaeth gyffwrdd ynddo i. Tydw i ddim yn licio unrhyw un yn cyffwrdd yna i.'

'Wnaeth hi ddim trio, siŵr, a wnaeth hi mo dy frifo di.'

''Sgin ti bres?' gofynnodd Math. 'Dw i isio diod.'

Anhygoel, dach chi ddim yn meddwl? Pum munud ynghynt, roedd o'n gweiddi nerth esgyrn ei ben mewn siop yn llawn o bobol, ac ychydig funudau'n ddiweddarach, roedd wedi anghofio'r cwbl.

Ro'n i'n tyrchu am newid mân ym mhoced fy jîns pan glywais i'r sŵn. Doedd dim dwywaith beth oedd o – roedd yr 'A-a-a-a' yn rhy gyfarwydd i allu bod yn unrhyw beth arall. Edrychais i fyny, a dyna lle roedd o – Cai a'i giang pathetig o ffans. Daliai i ddynwared Math, ac roedd yn amlwg yn trio codi 'ngwrychyn i. Deuai'n nes atom, gan ddynwared fy mrawd yn hynod o dda.

'Rho'r gora iddi,' gwaeddais. 'Tydi hynna ddim yn glyfar.'

'Dw i'n glyfrach na fo,' atebodd a gwên filain ar ei wyneb. Edrychodd ar Math fel petai o'n sbio ar rywun o fyd arall, fel petai 'mrawd yn ddim mwy na darn o faw ar ochr y stryd. Syllodd Math yn ôl arno heb ddangos unrhyw emosiwn. Fedrai o byth ddweud pryd fyddai rhywun yn flin, yn drist, neu'n ceisio codi gwrychyn. Dw i fy hun wedi treulio dyddiau'n dal dig tuag ato fo o ganlyniad i ambell ddigwyddiad, ac yntau heb sylwi o gwbl.

'Gad lonydd iddo fo,' rhybuddiais wrth i Cai a'i ffrindiau agosáu. Doedd arna i mo'u hofn nhw – llinyn trôns o foi ydi Cai, a'r peth perycla amdano fo ydi ei hen geg fawr. Os rhywbeth mae ei ffrindiau'n waeth. Ydych chi wedi gweld y lluniau hynny mewn llyfrau gwyddoniaeth, lluniau o bobol jest ar ôl i ni newid o fod yn fwncis i fod yn bobol? Y rheiny oedd yn lladd eu hysglyfaeth efo carreg ac yn siarad drwy wneud synau? Wel, mae'r darlun yn cyfleu ffrindiau Cai i'r dim.

'Mi fedra i weld y tebygrwydd teuluol,' gwenodd Cai. ''Blaw falla fod dy frawd yn llai o ffrîc na chdi.'

Chwarddodd ei ffrindiau. Edrychodd Math arna i. 'Pwy ydi hwn?'

'Neb,' atebais yn gyflym. 'Jest gad o.'

'Tydi hynna ddim yn neis iawn,' meddai Cai, gan smalio iddo gael ei frifo i'r byw. 'Tydw i ddim yn neb. Cai ydw i. Cai Calzaghe maen nhw'n fy ngalw i.' Gwenodd yn ffug ar Math. 'Fasat ti'n hoffi bod yn ffrind i mi?'

'Ocê,' atebodd Math, heb falio'r naill ffordd neu'r llall.

Rhaid i mi gyfaddef, erbyn hyn mod i'n dechrau colli fy

limpin. Os oedden nhw am bigo arna i, roedd hynny'n iawn. Mi allwn i sefyll i achub fy nghadm. Ond mae pigo ar Math fel pigo ar blentyn pedair blwydd oed – tydi o ddim yn deg, a dim ond cachgi fyddai'n gwneud y ffasiwn beth.

Wrth gwrs, doedd Cai ddim yn gwybod mod i'n teimlo fel hyn – anaml iawn fydda i'n colli fy nhymer, yn enwedig yn yr ysgol. Ro'n i'n ddigon tawel yn fan'no – wyddai o ddim ei fod o'n chwarae efo tân yn herian Math.

'Grêt! Mi gawn ni fod yn ffrindia gora!' meddai Cai, wrth ei fodd efo'r gêm. 'Ond na! Aros funud!'

'Be?' gofynnodd Math.

'Mi wnes i anghofio! Tydw i ddim yn ffrindia efo ffrîcs.'

Poerodd y gair yn filain, a syllu'n syth i lygaid Math wrth wneud hynny. Y diawl bach, meddyliais, mae o'n edrych i weld faint mae o'n gallu ypsetio 'mrawd.

'Dw i'n dy rybuddio di,' gelwais yn flin. 'Rho'r gorau iddi rŵan, neu mi fyddi di'n difaru.'

Chwarddodd Cai a'i ffrindiau, fel petawn i newydd ddweud jôc ddoniol. 'O-o-o, mae arna i ofn,' meddai Cai'n goeglyd. 'Mae Twm a'i frawd wiyrd yn mynd i roi stîd i fi...'

Cymerais gam ymlaen, a simsanodd gwên Cai rhyw fymryn wrth weld mod i'n flin go iawn. 'Mi ro i stîd i chdi os dali di ati.'

Cachgi ydi Cai, wrth gwrs, a doedd o ddim am aros o gwmpas i weld o'n i o ddifri ai peidio. Ond doedd o ddim am edrych yn llwfr o flaen ei ffrindiau chwaith, ac fe fynnodd gael y gair ola.

'Tria gadw rheolaeth ar y brawd 'na sgin ti, ia Twm?'

galwodd dros ei ysgwydd wrth iddo gerdded i ffwrdd. 'Tydan ni ddim am iddo fo ypsetio'r siopwyr efo rhyw hen nadu, nac dan? Mi ddylai pobol fel fo fod mewn sw.'

Ffrwydrodd fy nhymer, ac o fewn eiliadau ro'n i wedi rhoi dwrn yn nhrwyn y cachgi diawl, ac wedi troi ar ei ffrindiau. Roedd y rheiny wedi'i heglu hi'n syth, er bod y rhan fwya ohonyn nhw ddwywaith fy maint i. Mi adewais i Cai efo'r gwaed yn diferu o'i drwyn, mewn dagrau fel babi blwydd, ond ro'n i wedi dysgu gwers iddo. Roedd Math wedi dechrau nadu eto yn yr holl gythrwfl.

Wyddoch chi be, Miss Jenkins? Tydw i ddim yn meddwl i mi sgwennu cymaint erioed o'r blaen. Mae 'nwylo i'n brifo ar ôl yr holl deipio! A tydw i ddim wedi dechrau'n iawn ar y stori eto – dim ond hanesyn bach oedd hwnna i ddangos i chi sut un ydi 'mrawd, Math, a pha mor anodd mae o'n gallu bod. Tydi hyn yn ddim byd i'w wneud efo'r stori go iawn – sut gwnaeth y ddau ohonon ni redeg i ffwrdd efo'n gilydd. Mae hi'n chwip o stori, wir i chi, ond mae'n debyg y bydd hi'n cymryd rhai tudalennau i'w hadrodd.

Reit, wel, os ydw i am wneud hyn o gwbl, waeth i mi ei wneud o'n dda iawn. Dw i am ddechrau'r stori'n iawn rŵan, ac mae hynny'n galw am bennod newydd, dach chi ddim yn meddwl?

Pennod 1

Bai Dad oedd y cyfan.

Mi fydd pobol yn dweud weithiau, 'Ew, Twm! Rwyt ti'n debyg i dy dad!' Mae o'n wir, mewn ffordd – mae gen i 'run gwallt tywyll â fo, yr un llygaid o liw mwd. 'Dan ni'n dau yn fychan, yn welw ac yn edrych yn iau nag ydan ni go iawn, gwaetha'r modd. Ond nid dyna fydda i'n meddwl amdano pan fydd rhywun yn sôn mor debyg ydan ni. Mi fydda i eisiau sgrechian, 'Nacdw, dw i ddim. Tydw i ddim byd tebyg i'r diawl yna!'

Mae hi'n dair blynedd ers iddo fo adael. Roedd hi'n haf chwilboeth, a ninnau newydd ddod adref ar ôl bod ar ein gwyliau mewn pabell. Dw i'n cyfaddef bod Math wedi bod yn anodd, wedi holi beth oedd pob smic yn y nos, ac yn torri ei galon pan fyddai cymaint ag un gronyn o dywod yn dod i mewn i'r babell. Bu'n rhaid i ni ddod adref yn fuan ar ôl noson ddi-gwsg i ni i gyd a phawb arall yn y cae gwersylla, a dweud y gwir. Doedd Math ddim yn licio sŵn y glaw ar y cynfas, felly gofynnodd y ddynes, perchennog y maes pebyll, i ni adael. Roedd hi'n casáu gorfod gofyn, chwarae teg iddi. Wrth i ni baratoi i adael mi glywais rhyw ddyn, mewn pabell anferth a ganddo ddau o blant penfelyn perffaith, yn dweud, 'Some people should really learn to control their children'. Taswn i'n Dad, mi fyddwn i wedi mynd yn honco bost efo fo yn y fan a'r lle, ond smalio nad oedd o wedi clywed wnaeth o. Mi wnes i ddymuniad yn y fan a'r lle y byddai plant y dyn yna'n tyfu i fod yn rebels oedd yn yfed seidr yn y toilets yn rysgol ac yn mynnu aros allan drwy'r nos.

Beth bynnag, ar ôl dod adref a dadbacio'r car, a chael swper, anfonwyd Math a minna i'n gwlâu er mwyn i Mam a Dad gael llonydd i fwyta'u swper. Syrthiodd Math i gysgu'n syth – bydd o wastad yn gwneud hynny yn ei wely ei hun. Gorweddais innau'n reit hapus yn darllen. Roedd hi'n dal yn olau'r tu allan, a sŵn yr adar bach yn canu'n braf yn dod drwy'r ffenest agored. Roedd Mam a Dad wedi mynd â'u swper at y bwrdd bach yn yr ardd, ac roedd rhywbeth cysurlon iawn ynglŷn â chlywed eu lleisiau nhw'n murmur yn dawel.

Mae'n rhaid mod i wedi syrthio i gysgu am ychydig, achos dw i'n cofio deffro a hithau'n machlud. Roedd traw'r lleisiau o'r ardd wedi newid, yn codi ac yn gostwng mewn ffordd gyfarwydd.

Roedd Mam a Dad yn ffraeo unwaith yn rhagor.

Symudais yn nes at y ffenest, a symud y llenni i'r naill ochr. Roedd y machlud yn binc ac yn oren ar y gorwel, a'r sêr yn dechrau disgleirio yng nghanol y ffurfafen. Clustfeiniais i glywed eu geiriau.

'Tydw i ddim yn gwybod be rwyt ti'n ddisgwyl i mi wneud,' meddai Mam. Eisteddai'r ddau a'u cefnau tuag ataf, a gallwn weld potel wag o win ar y bwrdd.

'Mae'n rhaid i ni wneud rhywbeth,' atebodd Dad yn daer. 'Fedrwn ni ddim dal ati fel hyn.'

Ochneidiodd Mam yn ddwfn. Roedd hi'n edrych yn anhygoel o dlws, a golau'r machlud yn rhoi gwawr goch i'w gwallt tywyll. 'Ydan, 'dan ni 'di cael penwythnos anodd, ond mae pawb yn cael un weithiau.'

'Ddim fel ni,' ysgydwodd Dad ei ben. 'Menna, dw i 'di cyrraedd pen fy nhennyn. Mae Math yn ormod i mi.'

Hy! Meddyliais yn biwis. Roedd Dad yn dweud wrtha i byth a hefyd bod yn rhaid i mi fod yn amyneddgar efo Math, a rŵan...

'Be wyt ti'n feddwl?' gofynnodd Mam mewn llais bach do'n i ddim wedi'i glywed o'r blaen.

Bu saib am ychydig, cyn i Dad ddweud, 'Mae'r cwmni wedi cynnig swydd i mi yng Nghaerdydd. Mwy o bres, cyfle am ddyrchafiad...'

'Caerdydd?' ebychodd Mam fel petai Dad wedi rhegi. 'Ond ti'n gwybod sut mae Math yng nghanol torf. Fydda fo byth yn medru byw mewn dinas...'

'Oes raid i chdi wneud pethau mor anodd i mi?' holodd Dad yn rhwystredig. 'Fydda i ddim yn mynd â chi efo fi, na fydda!'

Saib arall. Teimlais yr awel yn treiddio trwy 'mhyjamas. Ro'n i'n crynu.

'Ti'n 'y ngadael i?' gofynnodd Mam, ac roedd tôn ei llais yn ddigon i ddod â deigryn i'm llygaid i. 'Ond sut ydw i fod i fyw, jest yr hogia a finna...'

'Mi wna i anfon pres, dw i'n addo...'

'Ddim am bres dw i'n sôn, naci!' Roedd hi'n gweiddi erbyn hyn, ond mi fedrwn i glywed y dagrau yn ei llais hi hefyd. Trodd Math yn ei gwsg, gan chwyrnu'n ysgafn. Edrychai mor heddychlon, fel petai'r holl bethau a'i poenydiai yn ystod y dydd wedi diflannu.

'Roedd popeth yn iawn pan oedd Twm yn fach,' esboniodd

Dad mewn llais rhesymol. 'Ond dw i'n methu gwneud efo Math...'

'Be wyt ti'n ei gynnig, 'ta?' gofynnodd Mam yn chwerw. 'Ei anfon o i ffwrdd i fyw mewn rhyw gartref lle does 'na neb yn ei nabod o?'

'Paid â bod yn wirion. Dweud ydw i na fedra i fyw fel 'ma mwyach.'

Ychydig wythnosau wedyn, paciodd Dad ei gar yn llawn o'i bethau, a chofleidio Math a minna'n sydyn. Wnaeth o ddim sbio ar Mam, hyd yn oed, a wnaeth hithau ddim ffarwelio â fo chwaith. A dweud y gwir, newidiodd fawr ddim yn ein tŷ ni, heblaw bod 'na fwy o le yn y cwpwrdd i ddillad Mam, a neb i fynd â Math a minna i'r pêl-droed ar bnawn Sadwrn. Nid bod fawr o ots gen i am hynny: roedd tîm y dre yn colli o hyd, a tydi o fawr o hwyl cefnogi tîm sydd byth yn ennill.

Wedi iddo fo adael, byddai Dad yn mynnu bod Math a minna'n mynd i aros efo fo bob gwyliau haf, Dolig a'r Pasg, yn ei fflat o yng Nghaerdydd. Byddai'n gyrru'r holl ffordd i fyny i'n nôl ni, ond wnâi o ddim mynd i mewn i'r tŷ, a fyddai Mam ddim yn dod allan i ddweud helô chwaith. Ers yr haf diwethaf, roedd Dad wedi stopio dod i'n nôl ni, ac roedd Math a minna wedi mynd ato ar y trên ar ein pennau'n hunain. Roedd Math yn ddigon hapus ar y trên, a byddai'n eistedd wrth fwrdd bach drwy gydol y daith, yn gwneud lluniau mewn llyfr bach.

Y tro diwethaf i ni fod yn aros efo Dad oedd dros y Pasg, a doedd pethau ddim wedi bod yn grêt. Roedd Dad wedi cael fflat newydd, ac yn ei gar ar y ffordd o'r orsaf i'w gartref, mynnodd ddisgrifio pa mor wych oedd hi.

'Yn y bae mae hi,' meddai, gan wenu ar Math a minna tra oedden ni'n sownd mewn traffig. 'Mi fyddwch chi wrth eich bodd.'

'Ar lan y môr?' holodd Math. Mae o'n casglu'r cerrig llyfn sydd i'w cael ar draeth, ac yn treulio oriau yn yr ardd yn yr haf yn gwneud llwybrau syth, perffaith efo nhw.

'Mae 'na fôr,' meddai Dad efo gwên. 'A balconi a phob dim.'

Wel, am siom. Hen fôr budr oedd o, yn llawn bagiau plastig fel slefrod môr yn arnofio ar y dŵr brown, a dim traeth yn agos. Roedd hi'n rhy oer i sefyll ar y balconi am hir, hyd yn oed a hithau'n fis Ebrill, ac roedd y fflat ei hun yn fach ac yn rhy wyn o'r hanner i mi. Yn waeth byth, roedd hi ar y pumed llawr – mae'n rhaid bod Dad wedi anghofio bod Math yn casáu llefydd uchel pan brynodd o'r fflat.

Treuliodd Math yr holl amser yn cerdded ar hyd y coridor rhwng y gegin a'r ystafell fyw – 'nôl a 'mlaen, 'nôl a 'mlaen. Gwrthododd eistedd wrth y bwrdd i gael ei fwyd, gan fod hwnnw'n rhy agos at glamp o ffenest fawr a edrychai i lawr dros y dŵr. Doedd y gwlâu soffa yn y llofft sbâr ddim yn plesio chwaith, felly roedd yn rhaid i Dad gysgu ar un o'r rheiny, a Math a minna'n rhannu gwely mawr Dad. Teimlai'r deng niwrnod hynny fel deng mis a tydw i rioed wedi bod mor falch o gael mynd adref. A dweud y gwir, ro'n i'n amau bod Dad yn falch o weld ein cefnau ni hefyd, er na fyddai o byth yn cyfadde hynny.

Ddim i mi, beth bynnag.

Mae'r hanes yn dechrau chwe wythnos yn ôl, wythnos cyn dechrau gwyliau'r haf. Roedd Mam yn gwneud shifft bnawn yng nghartref yr henoed, a Math a minna yn y tŷ ar ein pennau'n hunan. Mi wnes i frechdan menyn cnau yr un i ni ar ôl ysgol, a gwneud yn siŵr bod Math yn hapus efo'i bapur a'i bensiliau yn y llofft. Gwneud llun o injan car oedd o, a'r pibellau a'r tanciau bach yn berffaith. Cymerais innau'r cyfle i gael awr fach ar y cyfrifiadur. Ro'n i wedi dod o hyd i wefan gêmau newydd, ac yn treulio pob eiliad sbâr yn eu chwarae.

Ynghanol gêm o'n i pan ddaeth sŵn 'ping' cyfarwydd o grombil y cyfrifiadur: e-bost newydd i Mam. Agorodd ffenest fach yng nghornel y sgrin yn dangos pwnc yr e-bost, a chyfeiriad yr un a'i hanfonodd.

Mi wn i, mi wn i: ddylwn i ddim fod wedi busnesu.

Ro'n i methu peidio. 'Gwyliau'r haf' oedd y pwnc, a hywel@hogynodre.co.uk yn anfon. Dad.

Gallwn deimlo 'nghalon yn pwmpio wrth i mi glicio ar y bocs bach. Wyddwn i ddim fod Mam a Dad mewn cysylltiad o gwbl – doedd o'n sicr byth yn ffonio'r tŷ. Wrth gwrs, mae'n rhaid eu bod nhw wedi trafod y gwyliau a ballu o'r blaen, ond feddyliais i rioed am y peth cyn hyn.

Doedd o ddim yn e-bost hir iawn, ond mi ddechreuais chwysu wrth ei ddarllen. Gwyddwn yn iawn mod i'n gwneud rhywbeth na ddylwn i.

Annwyl Menna,

Gobeithio dy fod ti a'r hogiau'n iawn. Mae popeth yn grêt yma yng Nghaerdydd.

Menna, tydi hi ddim yn hawdd i mi sgwennu fel hyn, ond mae'n rhaid i mi. Dw i'n siŵr bod Twm wedi dweud wrthot ti mor anodd oedd gwyliau'r Pasg yma. Roedd Math yn anos i'w drin nag erioed, a tydw i ddim yn credu fod neb wedi mwynhau. Y gwir ydi bod rhaid i mi gyfaddef na fedra i gymryd Twm na Math dros yr haf yn y fflat newydd – mi fydd yn rhy anodd. Coelia fi, Menna, dw i'n teimlo'n ofnadwy o euog am hyn, ond wela i ddim pwynt i'r tri ohonon ni – Math, Twm a minna – fod yn anhapus, pan fyddai'r hogiau gymaint hapusach adref efo ti.

Efallai y gallwn ni drefnu i Twm ddod yma ar ei ben ei hun dros Nadolig?

Sorri, Menna. Dw i wedi gwneud y gora y galla i, ond fedra i ddim gwneud efo Math o gwbl.

Hywel

Does gen i ddim cywilydd dweud wrthych chi. Ro'n i'n ysgwyd erbyn i mi gyrraedd diwedd yr e-bost, ac eisiau ateb y neges yn syth gan ddefnyddio pob rheg a wyddwn i. Ro'n i'n gandryll efo Dad, yn honco bost. Teimlwn gyhyrau fy mreichiau'n tynhau fel petawn i ar fin rhoi stîd i rywun. Dad yn penderfynu, wythnos cyn y gwyliau, nad oedd o eisiau gweld ei feibion wedi'r cyfan! Fyddai Mam ddim yn medru mynd i Blackpool efo'i ffrindiau gwaith rŵan, ddim â Math a minna adref. Roedd hi wedi edrych ymlaen cymaint at fynd, ac os oedd rhywun yn haeddu saib, Mam oedd honno. A dyna Dad yn sbwylio'r cyfan unwaith eto!

Y gwir amdani oedd mai dim ond dair gwaith y flwyddyn fyddai Dad yn gweld Math a minna, ac roedd hynny, hyd yn oed, yn ormod iddo. Ac wedyn yn awgrymu y byddwn i'n mynd i aros efo fo ar fy mhen fy hun dros Nadolig! Fyddwn i ddim yn gadael Mam a Math, byth bythoedd amen. Roedd f'angen i arnyn nhw.

A'r frawddeg olaf! 'ond fedra i ddim gwneud efo Math o gwbl'. Methu gwneud dim efo Math wir! Am beth ofnadwy i'w ddweud am ei fab ei hun! Wrth gwrs, roedd Math yn medru bod yn anodd, roedd pawb yn gwybod hynny, ond doedd o ddim fel petai o'n trio tynnu'n groes. Doedd ganddo fo ddim rheolaeth dros ei ymddygiad ac mi wyddai Dad hynny'n iawn. Fedrwn i ddim deall sut y gallai o fod mor galongaled.

Gadewais y cyfrifiadur am funud, a cherdded i'r gegin i roi cyfle i 'nhymer dawelu ychydig. Doedd Mam ddim yno, wrth gwrs, felly agorais yr oergell ac yfed y sudd oren yn syth o'r botel, cyn ymosod ar y jar menyn cnau â llwy. Mi fyddai Mam yn cael ffit biws petai'n gwybod mod i mor fochynnaidd.

Mam druan. Mi fyddai'n torri ei chalon pan gâi hi wybod na châi fynd ar benwythnos o wyliau i Blackpool. Fydda i ddim yn dweud gair am y peth, wrth gwrs, ond mi fydda i'n medru gweld yn ei llygaid pan fydd hi wedi siomi.

Yr eiliad honno y cefais i'r syniad.

Efallai ei fod o'n athrylithgar, efallai'n hollol dwp, ond cyn gynted ag y cefais i'r syniad, ro'n i'n siŵr bod yn rhaid i mi ei weithredu. Roedd 'na un ffordd y câi Mam fynd ar ei gwyliau – wnawn i ddim gadael i Dad roi'r farwol i'w chynlluniau hi.

Roedd yn rhaid i mi ymateb yn gyflym.

Rhuthrais yn ôl at y cyfrifiadur, a tharo'r botwm i ymateb i'r e-bost. Roedd fy nwylo'n crynu wrth deipio, er nad o'n i wedi ystyried manylion y cynllun hyd yn hyn.

Annwyl Hywel,

Paid â phoeni, dw i'n dallt yn iawn. Diolch am adael i mi wybod.

Menna

Cliciais ar y botwm 'anfon', ac yna dileu e-bost Dad a'r e-bost ro'n i wedi'i sgwennu'n ateb. Roedd hi'n hollbwysig na fyddai Mam yn cael gwybod dim amdanyn nhw. Yn olaf, cliciais y botwm bach yn ymyl enw Dad fel y byddai pob e-bost arall ganddo'n cael ei wrthod. Do'n i ddim am iddo ymateb i'r neges.

Ro'n i'n dal i eistedd yno'n syllu ar y sgrin pan glywais i gar Mam yn parcio'r tu allan. Brysiais i gau'r cyfrifiadur, yn chwys oer drosof. Yn gam neu'n gymwys, roedd yn rhaid i mi weithredu'r cynllun rŵan. Doedd dim ond un ffordd y câi Mam ei gwyliau.

Byddai'n rhaid i Math a minna redeg i ffwrdd.

Wel, Miss Jenkins. Dyna i chi ddechrau'r stori. Beryg eich bod chi wedi penderfynu'n barod mod i'n dw-lal yn cael y ffasiwn syniad, ond meddwl am Mam o'n i.

Mae hi'n rhyfedd sut mae pethau bach yn medru gwneud gwahaniaeth, yn tydi? Tasa Mam a Dad ddim wedi digwydd cyfarfod ar noson allan ym Mangor, fyddai Math a minna ddim yn bodoli rŵan. Pe na bai Dad wedi cael cynnig swydd yng Nghaerdydd, efallai y byddai o'n dal yma rŵan. A phe na bai Dad wedi anfon yr e-bost yna pan wnaeth o, ar yr union eiliad pan o'n i'n chwarae ar y cyfrifiadur, beryg na fyddai Math na minna wedi cael yr haf mwyaf cofiadwy erioed.

Pennod 2

Dwn i ddim sut na wnaeth Mam ddyfalu bod 'na rywbeth ar y gweill gen i. Treuliais yr wythnos yn penderfynu beth yn union o'n i am ei wneud. Erbyn y dydd Llun canlynol, ro'n i'n sicr, bron, mod i wedi colli fy iawn bwyll wrth ystyried rhedeg i ffwrdd efo Math dros yr haf.

Bûm ar fin cyfadde popeth wrth Mam, droeon. Ond byddai rhywbeth ym mêr fy esgyrn yn fy atal bob tro, ac mi fyddwn i'n cofio am yr olwg ar wyneb Mam pan fyddai'n sôn am y gwyliau i Blackpool. Roedd ei llygaid yn goleuo wrth feddwl am y peth, a fedrwn i ddim dweud y gwir wrthi. Byddai'n rhaid i Math a minna ddiflannu am y cyfnod roeddan ni wedi trefnu aros efo Dad, a gwneud yn siŵr y byddai Mam yn meddwl ein bod ni yng Nghaerdydd, a Dad yn meddwl ein bod ni yng Nghaernarfon efo Mam.

Doedd gen i ddim syniad ble fyddai Math a minna'n mynd, ond gwyddwn y byddai angen pres arnon ni, a lle i aros. Doedd gen i ddim arlliw o syniad sut i gael gafael ar bres, felly canolbwyntiais, i ddechrau, ar lety.

Yng nghornel y garej, heb symud modfedd ers ei hunig wyliau dair blynedd yn ôl, roedd y babell. Perffaith. Wedi'i phacio'n dynn yn ei bag bach, roedd hi'n ddigon bychan i ffitio i fag cefn. Wrth gwrs, doedd Math ddim wedi mwynhau ei wyliau ynddi y tro cynt, a doedd hi'n sicr ddim mor gyfforddus ag adref, ond pwy a ŵyr? Efallai y byddai Math a minna'n mwynhau ychydig wythnosau o wersylla. Gwnes i'n siŵr nad oedd unrhyw dyllau yn y bag ac nad oedd y llygod wedi medru gwledda arni, ond na, edrychai'r babell gystal â newydd, heblaw am y llwch ar y bag.

Roedd dod o hyd i bres, ar y llaw arall, yn sialens a hanner. Byddai angen pres bwyd, pres i deithio i ble bynnag roeddan ni am fynd, a phres wedyn i dalu am yr holl bethau annisgwyl fyddai'n siŵr o godi. Roedd gen i gyfri banc efo 'mhres pen-blwydd a phres Nadolig ynddo – rhyw ganpunt i gyd, ond byddai angen mwy na hynny arna i.

Mae'n beth rhyfedd i'w ddweud, ond cyn hynny do'n i ddim wedi ystyried bod pres yn bwysig iawn. Wrth gwrs, mi wyddwn fod ei angen i brynu pethau, ac mai digon prin oedd o yn ein teulu ni. Y gwir plaen oedd nad o'n i wedi ystyried gwerth pethau. Rŵan, a minna'n gorfod dod o hyd i arian, edrychais ar fy eiddo mewn ffordd wahanol. Doedd y bêl-droed oedd gen i a llofnodion tîm Caernarfon drosti, er enghraifft, yn dda i ddim, er mai dyna'r peth mwyaf gwerthfawr oedd gen i, yn fy marn i. Roedd yr un peth yn wir am y ffrâm ar y wal a ddaliai ffotograffau a dynnais yn ystod y penwythnos a dreuliais ar fferm Huw ym mis Mehefin. Fy ffrind ysgol ydi Huw, a byddai'r lluniau wastad yn codi gwên – chwip o benwythnos oedd hwnnw. Ond fyddai neb yn talu am ffrâm ac ynddi luniau dau o hogiau'n gwneud lol. Na, roedd yn rhaid i mi ddod o hyd i rywbeth arall.

Un peth oedd gen i oedd yn werth pres, a does gen i ddim cywilydd dweud bod meddwl am gael gwared ar hwnnw'n dod â lwmp mawr i'm llwnc. Bu Mam yn hel ei cheiniogau am hir i brynu'r peiriant chwarae gêmau yn anrheg Nadolig, ac ro'n i wedi'i ddefnyddio bob dydd ers hynny. Byddai Mam yn chwarae efo fi weithiau, pan fyddai hwyliau da arni, a byddai'r ddau ohonon ni'n cael modd i fyw yn rasio ceir o flaen sgrin y teledu. Doedd Math ddim yn rhy siŵr am y gêmau hyn. Mi fyddai o'n ypsetio pan fyddai un o'r ceir yn taro yn erbyn y llall, neu'r gwffas yn y gêm bocsio yn troi'n waedlyd. A dweud y gwir, roedd hi'n braf cael rhywbeth y gallai Mam a minna ei chwarae efo'n gilydd. Doedd dim byd arall y medrai'r ddau ohonon ni ei wneud heb gynnwys Math.

Allwn i ddim rhamantu rŵan. Peiriant oedd o wedi'r cyfan, ac roedd sicrhau gwyliau i Mam yn bwysicach na hen gêmau gwirion, hyd yn oed os mai'r rheiny oedd y gêmau gorau a gawswn i'w chwarae erioed.

Ddeuddydd cyn y diwrnod pan fyddai Math a minna'n gadael, felly, mi ddois i 'nôl adref o'r ysgol yn fy awr ginio. Teimlad od oedd bod yn y tŷ ar fy mhen fy hun gan na fyddai hynny byth yn digwydd fel arfer. Roedd pobman mor dawel. Eisteddais wrth fwrdd y gegin, yn meddwl mai dyma'n union oedd ei angen ar Mam – llonydd a heddwch am ychydig. Nid bod Math yn llond llaw bob amser, cofiwch, gan y byddai fel arfer yn hapus braf yn y llofft efo'i bethau.

Eto i gyd, pan fyddai o yn y tŷ, fyddwn i byth yn medru ymlacio'n llwyr. Beth petai o'n gwneud rhywbeth o'i le yn y llofft? Cofio'r adeg pan guddiodd yn y cwpwrdd crasu am fod 'na wenynen yn y llofft, a Mam a minna'n meddwl ei fod o wedi rhedeg i ffwrdd. Neu'r adeg pan dorrodd y llewys oddi ar bob crys o'i eiddo. Doedd dim posib ymlacio'n llwyr pan fyddai Math o gwmpas, ac roedd Math yn fy nghwmni bron drwy'r amser.

Ond doedd gen i ddim amser i hel meddyliau. Roedd gen i bethau i'w gwneud. Peidiwch â dweud wrth neb am hyn, ond roedd yn rhaid i mi frathu fy ngwefus i ddal y dagrau'n ôl wrth i mi bacio'r peiriant gêmau i fag plastig. Ro'n i wedi bod mor hapus yn ei agor o ar fore Dolig. Do'n i ddim wedi gofyn amdano, hyd yn oed, er cymaint ro'n i eisiau un. Gwyddwn fod pres yn brin a bod Mam yn gwneud ei gorau i sicrhau bod Nadolig yn ddigwyddiad arbennig i Math a minna.

Es â'r peiriant a'r gêmau yn y bag yn syth i lawr i'r siop yn dre. Doedd fawr o bwynt cadw'r gêmau heb y peiriant, a do'n i ddim am eu cael nhw yn y tŷ i'm hatgoffa na allwn eu chwarae nhw mwyach.

Hen sinach ydi'r dyn sy'n gweithio yn y siop gêmau cyfrifiadurol. Welais i rioed mohono fo'n gwenu. Tydi o ddim yn hen iawn, ac mae ei groen yn blorod cochion i gyd, a hen bennau melyn arnyn nhw. Does dim rhyfedd, a dweud y gwir. Does dim ffenest yn y siop, felly prin mae o'n gweld golau dydd. Hen le tywyll, llychlyd ydi o, a hen oglau tamp ym mhobman. Yn y gornel mae teledu sydd byth a hefyd yn dangos un o'r rhaglenni gwirion hynny'n dangos teuluoedd yn eistedd o flaen cynulleidfa yn ffraeo am bethau anhygoel, a'r gynulleidfa'n gweiddi 'Bwww!' fel petaen nhw'n gwylio cymeriadau mewn pantomeim yn hytrach nag yn delio â phobol go iawn.

'Faint ga' i am hwn, plis?' gofynnais, gan sodro'r bag plastig ar y bwrdd bach yn y siop. Ochneidiodd y dyn fel petawn i'n boen go iawn. Roedd potyn gwyrdd llachar o nwdls a stêm yn codi ohono wrth y til, a'i oglau'n llenwi'r siop. Cymerodd gip i mewn i'r bag plastig.

'Gei di gant ac ugain am y cyfan.'

'Be?' poerais mewn anghrediniaeth. 'Ond mae'r peiriant ei hun yn werth bron i ddau gant!'

'Yndi, yn newydd. Maen nhw'n colli'u gwerth yn o handi cyn gynted ag y byddi di'n ei dynnu allan o'r bocs...'

'Ac mae 'na bum gêm yna, ac mae'r rheiny'n werth tri deg yr un o leia!'

Cododd y dyn ei lygaid a syllu arna i, fel petawn i newydd regi arno. 'Cant dau ddeg,' meddai'n araf. 'Os nad wyt ti'n hapus efo'r cynnig, dos i rywle arall.'

Ond doedd 'na unlle arall, a gwyddai hynnny'n iawn, yr hen gybydd. Ochneidiais cyn nodio, a phocedu'r pres. Bu'n rhaid i mi redeg yr holl ffordd yn ôl i'r ysgol: ro'n i'n hwyr, a'r peth olaf roedd arna i ei eisiau oedd cael fy nghadw ar ôl ysgol, a minna efo cymaint i'w wneud.

Ro'n i'n lwcus iawn bod Mam yn gweithio oriau ychwanegol yr wythnos honno. Chafodd hi ddim cyfle i sylwi mod i'n bihafio'n od, nac i wneud yn siŵr mod i'n pacio'r pethau priodol i fynd i Gaerdydd, chwaith. Pe bai hi wedi sbio yn fy mag i, byddai wedi dyfalu'n syth bod rhywbeth ar droed.

Dau fag ro'n i am fynd efo fi – dau fag cefn mawr, a bod yn fanwl gywir. Roedd ffitio popeth i mewn ynddyn nhw'n dasg a hanner, ac ro'n i'n falch iawn ohonof fi fy hun pan lwyddais i orffen y pacio a gosod y bagiau i sefyll, bron â byrstio, yng nghefn y garej. Ro'n i wedi treulio gwers Gymraeg gyfan yn gwneud rhestr o'r hyn oedd angen i mi ei roi yn y bagiau, wrth smalio ysgrifennu adolygiad ar ryw nofel do'n i heb gael y cyfle i'w darllen.

Bag 1

Y babell

2 sach gysgu

2 fflachlamp, a batris

Bag 2

Pâr o jîns yr un i Math a minna

Pedwar par o drôns yr un

Crys-T a siwmper yr un

Pensiliau a miniwr

Papur

Brwshys a phast dannedd

Plwg i roi pŵer i fy ffôn fach

2 gôt law denau

Roedd y bag a gariai'r dillad yn llawer ysgafnach na'r llall, felly Math a gâi gario hwnnw. Rhesymais fod y dillad roeddan ni'n eu gwisgo yn ychwanegol at yr hyn roeddan ni'n ei bacio, a phwy oedd angen mwy na dau bâr o jîns beth bynnag? Pe bai gwir angen, mi allwn i fynd â'r dillad i un o'r siopau yn llawn peiriannau golchi a sychu dillad. Ro'n i wedi bod mewn siop felly efo Mam, pan dorrodd ein peiriant golchi ni, ac felly mi wyddwn i sut roeddan nhw'n gweithio.

Efallai eich bod chi'n meddwl bod papur a phensiliau yn bethau rhyfedd i fynd â nhw efo ni a minna'n trio pacio cyn lleied â phosib. Fyddech chi ddim yn dweud hynny 'taech chi'n nabod Math. Mae o wrth ei fodd yn tynnu lluniau, ac mae o'n dda iawn am wneud, hefyd. Ambell dro, mi fydd yn gwneud diagramau o bethau technolegol: y tu mewn i deledu, efallai, neu injan beic modur. Fel arfer, fodd bynnag, lluniau pobol fydd o'n eu creu, degau ohonyn nhw ar bob tudalen, efo llygaid mawr a chegau llydan, syth. Maen nhw'n gallu bod braidd yn ddychrynllyd, a dweud y gwir – fel petaen nhw'n syllu'n syth i mewn i'ch enaid chi, heb arlliw o wên ar eu hwynebau. Roedd hi'n hollbwysig, felly, ein bod ni'n cofio mynd â'r papur a phensiliau efo ni. Mae Math yn hoffi trefn, a byddai mynd i wersylla ac yntau'n disgwyl mynd i Gaerdydd yn dipyn o sioc iddo. Gweddïwn y byddai tynnu lluniau yn ei helpu o.

Wyddwn i ddim ble y cawn i blwg trydan ar gyfer teclyn pŵer y ffôn ond byddai'n rhaid i mi ddod o hyd i rywle. Pan fyddai Math a minna efo Dad, byddai'r ddau ohonon ni'n siarad efo Mam yn reit aml. Byddai'n anodd cael Math i smalio wrth Mam ein bod ni yng Nghaerdydd ond byddai'n rhaid i mi feddwl sut fyddai goresgyn hynny rywdro eto.

Un cwestiwn a oedd gen i ar ôl a hwnnw oedd yr un mwyaf dyrys. I ble roedd Math a minna am fynd? Bûm i mor brysur yn paratoi fel na chefais lawer o gyfle i feddwl am yr hyn fyddai'n digwydd wedi i Mam ein gollwng ni yng ngorsaf rheilffordd Bangor. Ro'n i am fynd yn ddigon pell fel na fydden ni'n gweld unrhyw un oedd yn ein hadnabod ni, ond eto do'n i ddim am gymryd hydoedd i gyrraedd yno. Roedd meddwl am y peth yn fy ngwneud i braidd yn sâl. Beth petawn i'n dewis twll o le? Felly rhois i'r cyfan yng nghefn fy meddwl, a thrio peidio â meddwl am y peth.

Chysgais i fawr ddim y noson honno cyn i ni fynd. Roedd fy meddwl yn mynnu codi cwestiynau, a bûm yn troi a throsi drwy'r nos. Codais o 'ngwely am hanner awr wedi chwech, yn teimlo fel petawn i heb gael 'run winc o gwsg.

Bu bron i mi â chael trawiad wrth weld bod Mam wedi codi hefyd. Neidiais, ac ebychu'n uchel pan welais hi'n eistedd wrth fwrdd y gegin yn nyrsio paned chwilboeth o goffi. Gwenodd wrth fy ngweld i'n llamu.

'Wnes i dy ddychryn di, 'ngwas i?'

'Do'n i ddim yn disgwyl y byddech chi wedi codi mor gynnar.'

'Methu cysgu ro'n i.'

Soniais i ddim mod innau heb gael fawr o gwsg chwaith. Mi fyddai'n siŵr o ofyn pam. Estynnais am wydriad o sudd oren cyn eistedd wrth ei hymyl.

'Pam dach chi'n methu cysgu, Mam?'

Gwenodd Mam, cyn rhedeg ei bysedd drwy ei gwallt tywyll. Mae hi'n edrych ar ei gorau yn y bore, cyn iddi gael cyfle i roi colur ar ei hwyneb a gwneud ei gwallt. Fydda i byth yn deall pam mae genod yn peintio cymaint arnynt eu hunain.

'Meddwl amdanat ti a dy frawd yn mynd i ffwrdd ro'n i,' meddai Mam. 'Bydd hi'n gyfnod hir. Mi fydda i'n hiraethu amdanoch chi.'

'Go iawn?' Fedrwn i ddim cuddio fy syndod.

'Wrth gwrs!' chwarddodd Mam. 'Paid â 'nghamddeall i, dw i'n falch eich bod chi'n cael mynd i aros efo Dad. Ond ew, mae'n rhyfedd yma hebddoch chi.'

'Ro'n i'n meddwl y byddech chi'n mwynhau cael rhyddid i fod ar eich pen eich hunan.'

'Wel, ydw, am ryw ddeuddydd. Ac wedyn dw i'n dechrau hiraethu am eich sŵn a'ch hwyl.'

Yfais gegaid o sudd oren a meddwl am yr hyn roedd Mam newydd ei ddweud. Os oedd hi'n dweud y gwir, fyddai fawr o ots ganddi petai Math a minna'n aros adref. Gallwn ddweud y gwir wrthi rŵan ac anghofio am fy nghynllun gwirion. Ro'n i'n wallgof yn meddwl am redeg i ffwrdd...

'Wrth gwrs,' ychwanegodd Mam, gan godi a symud at y sinc i olchi ei chwpan. 'Mae pethau fymryn yn wahanol y tro 'ma. Dw i'n edrych ymlaen at fynd ar fy ngwyliau efo'r merched. Fedra i ddim cofio pryd oedd y tro dwytha i mi gael gwyliau efo ffrindiau. Cyn i mi briodi dy Dad, yn sicr.'

Dweud y gwir wrthi oedd y peth call i'w wneud, a dyma gyfle perffaith. Ond fedrwn i ddim. Ei gwyliau cyntaf efo'i ffrindiau ers cyn fy ngeni i a hynny ers rhyw bedair blynedd ar ddeg bellach!

'Peidiwch â phoeni, Mam,' gwenais, heb edrych arni rhag iddi fedru gweld y celwydd yn fy llygaid. 'Mi fydd Math a minna'n iawn.'

'Os oes angen unrhyw beth arnoch chi... Os ydach chi am ddod adref... Cofia fy ffonia i, Twm. Ddo i'n syth i'ch nôl chi, iawn?'

'Dach chi'n poeni gormod,' meddwn i, cyn ei heglu hi i fyny'r grisiau tua'r llofft.

Wrth edrych yn ôl rŵan, mae cymaint o bethau fyddai wedi gallu mynd o'i le'r prynhawn hwnnw. Petai Mam wedi cael cip yn bac-pacs Math a minna wrth eu llwytho yng nghefn y car, a gweld mod i wedi cael gwared ar bopeth roedd hi wedi'i bacio mor ofalus ynddyn nhw, mi fyddai wedi gweld y babell. Petai wedi aros yn yr orsaf i ffarwelio â ni ar y trên, fel byddai hi'n arfer gwneud, mi fyddai pethau wedi bod yn dra gwahanol.

'Daria!' meddai'n uchel, wrth droi'r car i mewn i orsaf rheilffordd Bangor. 'Does 'na unlle i barcio!'

'Peidiwch â phoeni,' meddwn i, gan weld fy nghyfle. 'Mi gewch chi ein gollwng ni yn fan 'ma... Mi wna i'n siŵr ein bod ni'n mynd ar y trên iawn.'

'Dwn i ddim,' atebodd Mam, gan gnoi ei hewinedd. Cymerodd gip yn nrych y car i edrych ar Math yn eistedd yn dawel ar y sedd gefn.

'Mi fyddan ni'n iawn, Mam,' mynnais, gan wybod yn iawn ei bod hi'n poeni am Math. 'Pum munud, ac mi fydd y trên yma. Unwaith 'dan ni arno fo, mi gawn ni'r papur a'r pensiliau lliw allan. Mi fydd Math yn iawn.'

Edrychodd Math i fyny wrth glywed ei enw. Roedd o'n edrych ymlaen at gael gwneud ei luniau, neu sgwennu rhyw ychydig. Dyn a ŵyr sut y byddai o'n ymateb unwaith y clywai fod 'na newid yn ein cynlluniau ni. Do'n i ddim wedi crybwyll gair wrtho nad oeddan ni'n mynd i Gaerdydd: un gwael oedd o am gadw cyfrinach.

'Ocê, 'ta,' cytunodd Mam, er nad oedd hi'n swnio'n sicr o gwbl. Neidiais allan o'r car i nôl y bagiau o gist y car cyn iddi gael cyfle i newid ei meddwl.

Wrth iddi ffarwelio â ni, sylwais fod 'na ddagrau yn llygaid Mam. Welais i rioed mohoni fel 'na o'r blaen. A dweud y gwir, ro'n innau'n teimlo'n ddigon emosiynol fy hun. Do'n i ddim yn siŵr o gwbl erbyn hyn mod i'n gwneud y peth iawn.

Fydden ni'n gallu gwersylla am y cyfnod cyfan, dim ond Math a minna?

Ond roedd yn rhaid i mi. Er mwyn Mam.

'Byddwch yn hogiau da i Dad. Dim swnian, rŵan.' Rhoddodd Mam sws yr un i Math a minna, gan edrych o'r naill i'r llall. 'Ac os oes 'na unrhyw beth...'

'Dw i'n gwybod, Mam, mi wnawn ni'ch ffonio chi.' Rholiais fy llygaid. 'Peidiwch â phoeni!'

'Fyddwn i'n fawr o fam 'tawn i ddim yn poeni amdanoch chi,' atebodd hithau, gan dynnu ei bysedd drwy ei gwallt. 'Cymrwch ofal.'

'Hwyl i chi, Mam,' meddai Math. Fyddai o byth yn dangos fawr o emosiwn wrth ffarwelio â hi, ond o leia roedd hwyliau da arno fo.

Wrth sefyll ar y platfform, yn disgwyl am y trên, gallwn weld car Mam yn tanio, yn aros wrth y goleuadau traffig, cyn ailgychwyn a diflannu rownd y gornel. Roedd hi'n cnoi ei hewinedd wrth yrru, fel byddai'n gwneud pan fyddai rhywbeth ar ei meddwl. Am ryw reswm, daeth hynny â dagrau i'm llygaid, a bu'n rhaid i mi lyncu 'mhoer droeon i'w rhwystro nhw rhag powlio i lawr fy ngruddiau.

'Mae'r trên yma,' meddai Math, gan edrych i lawr y traciau. 'Gawn ni eistedd wrth fwrdd?'

O, bobol bach. Byddai'n rhaid i mi esbonio fy nghynllun i Math rŵan – dyn a ŵyr sut y byddai o'n ymateb.

'Math, aros funud,' edrychodd Math arna i. 'Mae gen i gyfrinach i'w dweud wrthot ti.'

'Be os 'dan ni'n colli'r trên?'

'Dyna'r peth. 'Dan ni'n mynd ar antur!'

Crychodd Math ei dalcen fel petai o'n meddwl yn galed. 'I Gaerdydd?'

'Naci! Wnest ti fwynhau aros efo Dad y tro diwetha?'

Ysgydwodd Math ei ben.

'Yn union. Felly 'dan ni'n cael mynd ar ein gwyliau hebddo fo, jest chdi a fi. Da, 'de?'

Ystyriodd Math y peth am eiliad. Ro'n i'n siŵr y byddai o'n dechrau nadu unrhyw eiliad – sgrechian, hyd yn oed.

'Fydd yn rhaid i ni aros mewn fflat, fel un Dad?'

'Ew, na! Mewn pabell, jest chdi a fi.'

''Sgin ti olau?'

'Oes! A llwythi o fatris!'

'Be fydd Mam yn ei ddweud?'

'Fydd hi ddim yn gwybod, siŵr!'

Nodiodd Math. 'Ocê, 'ta.'

Fedra i ddim disgrifio i chi faint o ryddhad deimlais i. O bob dim ro'n i wedi'i ddychmygu, feddyliais i ddim y byddai Math yn ymateb mor ddidrafferth. Efallai nad oedd fy nghynllun mor wallgof â hynny wedi'r cyfan. Be fedr fod yn waeth na bod yn sownd mewn fflat fach efo Dad, a Math yn nadu'n ddiddiwedd?

'Tyrd, 'ta.' Dechreuais gerdded oddi ar y platfform a Math yn dynn ar fy sodlau. Gwyddwn fod 'na safle bysiau rownd y gornel, a llawer o fysys y dref yn pasio wrth adael. Wrth gwrs, byddai arian tocynnau'r trên gen i i'w ychwanegu at y swm ro'n i wedi'i gasglu'n barod.

'Lle 'dan ni'n mynd?' gofynnodd Math wrth i ni ymuno â'r dorf oedd yn aros yn yr orsaf fysiau. Roedd hi'n brysur iawn yno, a phobol o bob lliw a llun yn aros am fws. Gan nad oedd Math yn hoff iawn o dorfeydd, ro'n i'n awyddus i'w heglu hi o 'na cyn iddo gael cyfle i ypsetio.

Yr eiliad honno, daeth bws i'r golwg a stopio o'n blaenau. Roedd y gair 'Pwllheli' yn fflachio'n felyn ar y sgrin.

'Pwllheli,' atebais, gan ddringo ar y bws, ac ymestyn am fy waled.

Dyna oedd dechrau ein hantur ni. Dim ond wedi i mi gamu ar y bws y sylweddolais yn iawn mod i'n gwneud rhywbeth mawr. Roedd Math a minna ar ein pennau'n hunain bellach a fi oedd yn gyfrifol am edrych ar ei ôl.

Ydych chi wedi blino darllen bellach, Miss Jenkins? Mae'n siŵr na chawsoch chi rioed brosiect Daearyddiaeth fel hwn o'r blaen. Peth rhyfedd hefyd. Rydan ni'n darllen cymaint am leoedd, poblogaeth, prif gyflogwyr a hanes, ond fedrwch chi ddim dysgu'n iawn am le os nad ewch chi yno. Mi wyddwn i hynny rŵan.

Dach chi'n gweld, Miss Jenkins, er na wyddwn i hynny ar y pryd, mi fyddwn i'n gweld llawer o Gymru'r haf hwnnw, a byddai 'mywyd i'n newid yn gyfan gwbl wrth ymweld â'r trefi a'r pentrefi hynny. Fyddai dim byd yr un fath byth eto.

Pennod 3

PETAWN I WEDI meddwl am y peth, fyddwn i byth wedi neidio ar y bws yna i Bwllheli. Y penderfyniad cynta wnes i dros Math a minna ar y trip yma, ac roedd o'n gamgymeriad.

Dach chi'n gweld, yr un peth oedd yn allweddol i 'nghynllun i oedd na fyddai Mam yn cael gwybod nad oedd Math a minna wedi mynd ar y trên i Gaerdydd. Golygai hyn, wrth gwrs, fod yn rhaid aros mor bell â phosib o Gaernarfon, lle roedd Mam a'i holl ffrindiau yn byw.

Ond roedd y bws o Fangor i Bwllheli yn mynd drwy ganol Caernarfon.

Roedd Math wedi bod yn dawel ers iddo gymryd ei sedd wrth y ffenest. Roedd o wrth ei fodd yn edrych ar y byd yn pasio.

'Tyrd i ista yn y cefn, Math.'

Mi fyddai'n anoddach i bobol Caernarfon ein gweld ni petaen ni'n eistedd yn y sedd gefn gan fod y ffenestri'n uwch ac yn gulach yno.

'Dw i'm isio,' mynnodd Math, heb edrych arna i. 'Dw i'n medru gweld mwy o fan 'ma.'

'Ond mae 'na fwy o le yn y cefn.'

'Na.'

Ochneidiais. Mi fydden ni'n cyrraedd y dref cyn bo hir, a byddai pawb yn medru'n gweld ni ar y bws. Do'n i ddim am swnian mwy ar Math, neu roedd 'na beryg y byddai o'n dechrau nadu. Ond do'n i ddim am i neb ein gweld ni, chwaith.

'Os awn ni i eistedd yn y cefn, mi gei di dynnu llun.'

Cododd Math yn syth, ac edrych arna i'n ddiamynedd, fel taswn i'n cymryd hydoedd i godi a symud i'r cefn, ac allan o'i ffordd o.

Erbyn i'r bws dynnu i mewn i orsaf bysiau Caernarfon, roedd Math â'i ben i lawr, yn tynnu ei bensil dros y papur. Tydw i ddim yn meddwl ei fod o wedi sylwi ein bod ni yng Nghaernarfon. Codais innau fy hwd dros fy mhen i guddio'r rhan fwyaf o 'ngwyneb. Wnes i ddim edrych i fyny o gwbl nes roeddan ni wedi gadael y dref yn llwyr.

Gyda Math yn hapus yn tynnu lluniau â'i bensil a'i bapur, ro'n i'n rhydd i fwynhau'r daith. Dechreuais ymlacio gan ei bod hi hefyd yn brynhawn braf a doedd dim llawer o deithwyr eraill ar y bws. Roedd y cynllun yn gweithio'n iawn, hyd yn hyn. Doedd dim ond rhaid i ni ddod o hyd i rywle i godi'r babell, ac mi fydden ni'n iawn. Ochneidiais yn foddhaus a thynnu fy hwd. Er mod i wedi bod ym Mhwllheli o'r blaen efo Mam a Math, do'n i ddim yn adnabod y lle o gwbl.

Wyddoch chi, dw i'n hoff iawn o Gaernarfon. Mae'r bobol yn garedig a phawb yn adnabod ei gilydd. Ond mae'n rhaid i mi ddweud bod rhywbeth yn newid rhwng Glynllifon a Chlynnog Fawr, ar y lôn hir, syth sy'n ymestyn am Ben Llŷn. Â'r mynyddoedd yn cyrraedd y cymylau ar un ochr, a'r haul yn disgleirio oddi ar y môr ar yr ochr arall, roedd o'n lle mor braf. Dechreuais deimlo fel petawn i ar fy ngwyliau go iawn.

Fyddwn i byth yn teimlo fel 'na ar y ffordd i aros efo Dad. Bob tro y byddwn yn mynd i Gaerdydd, byddai teimlad nerfus, anghysurus yn cronni yn fy mherfedd. Cynyddu fyddai'r nerfusrwydd wrth i'r trên wibio o'r gogledd i'r de, ac erbyn i ni wichian i stop yng ngorsaf Caerdydd, a gweld Dad yn sefyll yno a gwên ar ei wyneb, chawn i mo'i wared. Yn wir fyddai'r nerfusrwydd ddim yn fy ngadael tan byddwn i'n cyrraedd adref.

Do'n i ddim wedi teimlo fel 'na yng nghwmni Dad bob amser, cofiwch. Nid pan oedd o'n byw efo ni yng Nghaernarfon.

'Sbia ar y mynyddoedd yn fan'cw, Math,' meddwn, gan drio cael gwared ar y ddelwedd o Dad o 'mhen. Edrychodd Math i fyny o'i lyfr. O'n blaenau ni, codai'r mynyddoedd yn dri chopa uchel, a ffermydd bach clyd yr olwg yn nythu ar eu llethrau.

'Yr Eifl,' meddai Math.

'Be?'

'Dyna maen nhw'n galw'r mynyddoedd acw – yr Eifl.'

Syllais yn gegagored ar fy mrawd. 'Sut gwyddost ti hynny?'

'Mam ddwedodd wrthon ni, pan oeddan ni ar draeth Dinas Dinlle. Sbia!' Cododd Math ei ddwrn a'i bwyntio at gopaon yr Eifl, fel petai o'n herio'r mynyddoedd. 'Ma'r copaon yn edrych fel y rhes o esgyrn ar gefn dy law pan fyddi di'n cau dy ddwrn.'

Codais innau fy nwrn yr un fath â Math. Roedd o'n iawn. Roedd fy nwrn yr un siâp yn union â'r Eifl.

''Dan ni ddim wedi bod yn Ninas Dinlle ers blynyddoedd,' meddwn i wrth Math. 'Sut medri di gofio rhywbeth ddywedodd Mam mor bell yn ôl?'

'Co' da sy gen i.' Trodd Math yn ôl at ei lun.

Wrth i'r bws droi i fyny'r lôn a mynd drwy Lanaelhaearn,

dechreuais innau hel meddyliau am y tro diwetha i Mam, Math a minna fynd i draeth Dinas Dinlle.

Dwy flynedd yn ôl oedd hi, ychydig wythnosau cyn gwyliau'r haf, ar un o'r penwythnosau crasboeth hynny sy'n gwneud i rywun deimlo'n falch ei fod o'n fyw. Ro'n i wrth fy modd. Erbyn deg o'r gloch y bore Sadwrn, roedd Mam a Math a minna yn y car, y ffenestri i gyd wedi'u hagor yn llydan a'r awel yn cosi ein hwynebau. Ro'n i'n gwybod bod Mam wedi paratoi gwledd o bicnic i ni, a bod llond cist y car o dywelion meddal a diodydd rhewllyd.

Roedd hi'n ddiwrnod a hanner. Treuliodd Math a minna oriau yn y môr, a hwnnw'n gynhesach nag y teimlais i o erioed o'r blaen. Roedd gwres yr haul fel petai o wedi gwneud i Math anghofio popeth a wnâi iddo fod yn wahanol. Fel rheol, byddai'n casáu gwlychu ei wallt, ond y diwrnod hwnnw, plymiodd o dan y dŵr cyn codi'n llawn chwerthin. Ar ôl boliaid o frechdanau, adeiladodd y ddau ohonon ni glamp o gastell tywod, ag afon yn ei amgylchynu oedd yn arwain yr holl ffordd i lawr at y môr. Roedd o'n grêt. Gorweddai Mam ar dywel drwy'r dydd yn darllen nofel ac yn taenu eli haul dros ei choesau a'i hysgwyddau.

Roedd y profiad mor normal. Petai Dad wedi bod efo ni, byddai rhywun wedi'n camgymryd ni am deulu cyffredin mewn hysbyseb. Prynodd Mam hufen iâ yr un i ni a chasglodd Math a minna'r cregyn tlysaf iddi o wely'r môr. Roedd fy atgofion o'r diwrnod hwnnw mor fyw yn fy nghof, bron na allwn i arogli'r môr, yr hufen iâ a'r eli haul y foment hon.

Newidiodd popeth ar ôl i ni bacio'r car a'i throi hi am adref.

Sylwais ar Math yn anesmwytho yn y car yn ystod y daith. Dw i'n ei adnabod o'n ddigon da i weld yr arwyddion. Tapio roedd o y tro hwnnw. Drymio'i ben-glin yn ddi-baid, fel petai o'n cadw rhythm rhyw gerddoriaeth na allwn i ei chlywed. Roedd o'n blincio'n aml hefyd, ac roedd hynny'n arwydd drwg.

Buodd o'n nadu drwy'r nos. Y tywod oedd y drwg, yn dal rhwng bodiau ei draed ac yn ei wallt. Sgrechiodd nerth esgyrn ei ben yn y stafell fyw, yn noethlymun, wrth i Mam a minna ddefnyddio tywelion glân i gael gwared ar y gronynnau bach oddi ar ei draed a'i ben. Edrychais ar Mam wrth iddi drio'i dawelu. Roedd yr holl grychau o boen meddwl nad oedd i'w gweld ar ei hwyneb yn ystod y dydd wedi dychwelyd.

Cymerais gip ar Math rŵan a gweld ei fod yn hapus braf efo'i bensiliau lliw. Doedd dim posib rhag-weld sut y byddai'n ymddwyn. Er mor fodlon ei fyd oedd o ar hyn o bryd, gallai ddechrau strancio unrhyw bryd, am y rheswm lleiaf.

Roedd hi'n brysur yn nhref Pwllheli a'r lle'n berwi o ymwelwyr gan ei bod yn ddiwrnod heulog a'r awyr yn las. Wrth ddod allan o'r bws teimlwn fy nghalon yn curo'n drwm yn fy mrest.

Be o'n i am ei wneud rŵan?

'Lle 'dan ni am osod y babell, 'ta?' gofynnodd Math, gan syllu o'i gwmpas ar sgwâr Pwllheli. 'Wela i ddim cae.'

'Mi ofynna i i rywun,' atebais, gan ddechrau difaru nad o'n i wedi paratoi'n fwy trylwyr cyn dod. Byddai wedi bod yn hawdd chwilio am gaeau gwersylla ar y we.

Wrth yr orsaf bysiau roedd siop ddillad a ffair fach, ac

adeilad bach blêr yn llawn peiriannau chwarae, y rheiny sy'n llyncu darnau arian a goleuadau lliwgar yn fflachio. Yn ymyl fan'no, roedd 'na siop fach henffasiwn, ei ffenest yn llawn geriach amryliw, sydd ar werth ym mhob tref lan môr.

'Tyrd i mewn i fa'ma am funud,' gorchmynnais. Edrychai'n lle tawel, rhywle na fyddai'n cynhyrfu gormod ar Math. Efallai y byddai siopwyr clên yno'n gallu 'nghynghori i drwy awgrymu llefydd i wersylla.

Fel roedd hi'n digwydd, doedd y siopwr yma ddim yn un clên. Wrth i ni gerdded i mewn i'r siop, gwaeddodd yn llawn gwenwyn, 'You'd better not steal anything. I'm watching you.'

'Dyna i chi groeso,' meddwn i o dan fy ngwynt, wrth i'm llygaid ddod yn gyfarwydd â thywyllwch y siop.

'Tydw i ddim yn fyddar, chwaith, i chi gael dallt,' brathodd yr hen ŵr yn biwis. Eisteddai y tu ôl i gownter brown llychlyd, yn ein gwylio ni drwy sbectol fach. Roedd yn fychan, yn hollol foel, a'i wyneb crychlyd yn syllu arnon ni fel petai heb wenu erioed.

Cofiwch chi, tydw i ddim yn siŵr a fyddwn i'n gwenu tawn i'n gorfod treulio fy nyddiau yn y siop honno. Roedd llanast ofnadwy ynddi, a geriach ym mhob twll a chornel. Doedd dim trefn ar unrhyw beth, â bwcedi a rhawiau plastig ar y silff nesaf at gŵn bach porslen, yn ymyl llieiniau sychu a rysáit bara brith wedi'i brintio arnyn nhw. Fedrwn i ddim gweld unrhyw beth yr hoffwn ei brynu.

'Tybed allwch chi fy helpu i?' gofynnais i'r dyn, gan drio swnio mor gyfeillgar â phosib. 'Rydan ni'n chwilio am le i wersylla…'

Syllodd yr hen ŵr arna i'n flin, fel barcud yn syllu ar ei swper. 'Weli di gae yma, hogyn?'

'Wel, na wela, ond...'

'Oes 'na arwydd ar ddrws y siop, falla, yn dweud bod gwasanaeth ateb problemau'n cael ei gynnig yma?'

'Nac oes, ond dim ond isio...'

'Dw i'n trio rhedeg busnes yn fa'ma. Rŵan, os nad ydach chi am brynu unrhyw beth...'

'Twm.' Daeth llais Math yn dawel o ochr arall y siop, lle safai'n syllu ar rywbeth ar un o'r silffoedd. Symudais draw ato i gael cip ar yr hyn a welai.

Meddyliais i ddechrau mai darn o wydr oedd o, dim mwy na 'mys bach ac yn drionglog. Pwy yn y byd fyddai'n prynu'r ffasiwn beth?

'Sbia,' meddai Math, gan godi'r darn gwydr a'i ddal i fyny at y ffenest. Trwy'r darn gwydr yma, roedd popeth ar y stryd y tu allan yn edrych yn wahanol. Lliwiau, holl liwiau'r enfys, dros y stryd. Y lôn a'r siopau a'r ceir oedd yn mynd heibio yn edrych fel breuddwyd amryliw hyfryd.

Welais i rioed ddim byd tebyg. Edrychai fel ffenest liw, a'r cyfan o fewn y triongl bach o wydr.

'Prism ydi hwnna,' meddai'r hen ŵr, heb swnio mor filain â chynt.

'Sut mae o'n gweithio?' gofynnodd Math, heb dynnu ei lygaid oddi ar y prism. 'Oes 'na dric ynddo fo?'

'Tric?' holodd yr hen ŵr, fel petai Math wedi rhegi. 'Batri neu rywbeth, wyt ti'n feddwl? Nac oes wir. Adlewyrchu golau mae o, ei daflu 'nôl mewn ffordd sy'n adlewyrchu holl liwiau'r byd.'

'Tydw i ddim yn dallt,' ysgydwodd Math ei ben. 'O ble mae'r lliwiau'n dod?'

Gwgodd dyn y siop. Roedd hwn un cwestiwn yn ormod iddo. 'Tydw i ddim yn arbenigwr. Os wyt ti isio fo, pryna fo. Pum punt.'

Er mawr syndod i mi, nodiodd Math yn frwd. 'Dw i isio fo.'

'Aros funud,' dechreuais yn bwyllog, fy meddwl yn gwibio wrth drio chwilio am ffyrdd o adael y siop heb y prism a heb i Math strancio. 'Does 'na ddim digon o bres...'

'Oes, tad!' mynnodd Math, a'r tinc diamynedd yn ei lais yn rhybudd o'i dymer tanllyd. 'Mae gen ti lwythi o bres. Mi welais i o yn dy waled di wrth i ti dalu am y tocyn bws.'

Am ryw reswm, credai hen ŵr y siop mai dyma'r peth doniolaf a glywsai erioed, a dechrau chwerthin. Petai o ond yn gwybod cymaint o ddifrod y gallai Math ei wneud i'w siop petai o'n colli ei dymer!

'Math...' rhoddais gynnig arall arni.

Dechreuodd Math hymian.

Tydi o ddim yn edrych yn fawr o beth, wedi'i sgwennu fel 'na. Daliai Math i hymian yn isel. Ond coeliwch chi fi, mae'n swnio'n rhyfedd ar y diain pan mae Math yn dechrau gwneud hynny. Un sain, eithaf isel, fel y sŵn pan fo rhywun yn rhoi'r ffôn i lawr yn hytrach na sgwrsio. Arwydd pendant bod Math ar fin ei cholli hi go iawn, ac arwydd clir i unrhyw un sydd ddim yn ei nabod nad ydi Math fel pawb arall.

Tawelodd chwerthin cras gŵr y siop.

'Mi bryna'r prism i chdi, iawn Math? Wnei di stopio gwneud y sŵn yna wedyn?'

Wnaeth Math ddim ymateb. Daliodd i hymian, a'i lygaid yn syllu ar yr enfys o liwiau yn y prism.

Estynnais am fy waled, a chwilio am bapur pum punt. Heb yngan gair, gosodais y pres ar y cownter. Gallwn deimlo llygaid y siopwr arna i, yn llawn cwestiynau.

Cyn gynted ag y clywodd Math sŵn y til yn cau, caeodd ei ddwrn am y prism, a rhoi'r gorau i'r hymian. Gwenodd yn llawen, wedi anghofio'n llwyr am y bygythiadau a'r nadu eiliadau ynghynt.

'Tyrd,' gorchmynnais, a'i heglu hi am y drws.

Wrth i mi groesi'r trothwy, galwodd yr hen ŵr.

'Aberdaron.'

Edrychais i fyny arno. 'Esgusodwch fi?'

'Mae 'na ddigon o lefydd i wersylla ffordd 'na. Lle braf – glan y môr, llwybrau i fynd am dro. Bydd bws yn gadael mewn rhyw awr.'

'Diolch.' Gadewais y siop, gan adael yr hen ŵr yn syllu ar ôl Math a minna fel petaen ni'n ddirgelwch oedd yn anodd ei ddatrys.

Roedd y siopau i gyd yn cau wrth i Math a minna ymlwybro o gwmpas y dref, yn trio llenwi'r amser tan i'r bws gyrraedd i fynd â ni i Aberdaron. Er nad oedd yn bell o Gaernarfon do'n i erioed wedi bod yno a doedd gen i ddim syniad sut le oedd o. Eto roedd disgrifiad y siopwr o'r lle'n swnio'n berffaith.

A dweud y gwir, ro'n i'n dechrau teimlo'n betrus. A hithau wedi troi pump o'r gloch bellach, doedd gen i ddim syniad ble y byddai Math a minna'n cysgu'r noson honno, a dim syniad, hyd yn oed, sut oedd codi'r babell. Ceisiais beidio â meddwl am y peth wrth i ni gerdded strydoedd Pwllheli, ond roedd hi'n anodd. Y peth olaf ro'n i am ei weld yn digwydd oedd iddi dywyllu heb fod gan Math a minna loches.

Ro'n i'n falch bod y siopau wedi cau gan na allai Math gymryd ffansi at unrhyw beth arall a bygwth cambihafio, fel y gwnaethai efo'r prism. Wedi clywed am Aberdaron, cafodd Math a minna fwynhad mawr yn crwydro strydoedd Pwllheli, gan aros i syllu yn ffenestri'r siopau. Er ei bod hi'n hwyr y prynhawn, roedd yr haul yn dal yn gryf, a'r strydoedd yn ferw o bobol mewn crysau-T a sbectols haul yn crwydro'n fodlon eu byd. Wedi i ni gerdded y strydoedd, aeth y ddau ohonon ni i eistedd wrth yr harbwr i wylio'r cychod.

'Sbia ar hwn,' gwaeddodd Math, ac edrychais i fyny'n sydyn. Do'n i ddim wedi sylweddoli ei fod o wedi crwydro tra o'n i'n eistedd ar y wal yn syllu'n freuddwydiol ar gwch bach ar y gorwel, ei hwyliau'n disgleirio'n wyn yn yr awel.

Safai Math o flaen bwrdd o lechen, a'i wyneb yn gwyro ymlaen rhyw fymryn. Codais a mynd draw i gael golwg arno.

Amlinelliad o'r olygfa o'n blaenau oedd ar y llechen – copaon y mynyddoedd, a'u henwau wedi'u nodi'n daclus. Edrychais i fyny a gweld y mynyddoedd go iawn. 'Am syniad da.'

'I be mae o'n dda?'

'Er mwyn i bobol sy'n dod am dro ar hyd fa'ma ddysgu enwau'r mynyddoedd,' atebais, gan ddarllen yr enwau'n dawel: y Cnicht, Moelwyn Mawr, Moelwyn Bach, y Rhinogydd...

'Pwy roddodd enwau iddyn nhw yn y lle cynta?' gofynnodd Math, gan dynnu ei fys dros gopaon y mynyddoedd ar y llechen o'i flaen.

Do'n i rioed wedi meddwl am y peth o'r blaen. Bydd Math yn gwneud hyn yn aml, yn gofyn cwestiynau nad oes gen i, na Mam, unrhyw syniad beth yw'r atebion, cwestiynau nad o'n i wedi'u hystyried cyn hynny. Bydda i'n meddwl weithiau bod ei feddwl o'n gweithio mewn ffordd sy'n hollol wahanol i 'meddwl i.

'Dim syniad,' cyfaddefais. Do'n i ddim yn hoffi methu ateb cwestiynau Math. Gwnâi hynny i mi deimlo fel petawn i'n ei siomi, rywsut.

Cymerais gip ar fy wats, ac ebychu mewn syndod. 'Tyrd, Math! Bydd yn rhaid i ni frysio neu mi gollwn ni'r bws i Aberdaron!'

Ew, mae fy nwylo i'n brifo ar ôl teipio cyhyd, Miss Jenkins! Tydw i ddim yn siŵr ydw i wedi sgwennu cymaint erioed o'r blaen. Mae'n siŵr eich bod chi'n meddwl mod i'n wallgof yn cynnwys yr holl fanylion hyn, yn enwedig a chithau'n disgwyl prosiect digon cyffredin ar Gymru, nid hanes fy ngwyliau haf i a 'mrawd. Ond mi wnes i weld Cymru, Miss Jenkins, ac yn fwy na hynny, mi ddois i adnabod fy mrawd yn llawer gwell.

Pennod 4

DIM OND MATH a minna oedd ar y bws o Bwllheli i Aberdaron, ac ro'n i'n ddiolchgar am hynny. Doedd Math ddim mor fodlon ag yr oedd ar y daith yn y bws o Fangor. Roedd wedi bod yn ddiwrnod hir, a mynnai symud yn aflonydd yn ei sedd.

'Wyt ti am dynnu llun?' gofynnais, yn sicr y byddai'n dechrau nadu unrhyw eiliad. Ysgydwodd Math ei ben. Roedd o'n dechrau blincio'n amlach hefyd – arwydd drwg.

Teithiai'r bws yn bwyllog ar hyd lonydd bach Pen Llŷn, yn plethu rhwng y caeau bach a thrwy bentrefi na chlywswn i rioed amdanyn nhw cyn hynny, Botwnnog, Sarn Mellteyrn, Rhoshirwaun... Rhywsut, ar ôl gadael Pwllheli, teimlwn mod i ymhell o adref, ac ynghanol nunlle. Do'n i ddim wedi meddwl holi pa mor bell oedd Aberdaron. Byddai'n rhaid i ni ddod o hyd i rywle i godi'r babell cyn iddi dywyllu.

'Dw i isio mynd adra 'ŵan,' meddai Math yn sydyn. Medrwn glywed y straen yn ei lais.

''Dan ni ddim yn mynd adra heno, ydan ni Math? Dw i 'di deud o'r blaen, 'dan ni'n aros yn y babell.'

'Dw i ddim isio aros yn y babell,' atebodd yntau. 'Dw i ddim yn licio'r bws yma.'

'Plis, paid â dechrau,' ymbiliais drwy 'nannedd. Roedd gyrrwr y bws wedi clywed llais Math yn codi, a gwelais ei fod o'n ein llygadu ni yn ei ddrych. 'Lle mae'r prism 'na brynais i ti?'

Er mawr syndod i mi, roedd cofio am y prism oedd ym mhoced ei jîns yn ddigon i wneud i Math anghofio ei fod o'n anfodlon. Tynnodd y darn gwydr o'i boced, a'i ddal yn erbyn ei foch fel petai o'n dal pecyn o rew dros boen y ddannodd. Trodd i edrych drwy'r ffenest, â'r prism yn dynn ar ei foch, a chlywais i 'run gair ganddo am weddill y siwrnai.

Ac am siwrnai oedd hi. Gwnâi'r milltiroedd olaf i mi deimlo fel petaen ni'n gyrru i ben draw'r byd. Ymestynnai'r caeau yn wastad ac yn wyrdd, ac wrth i Ben Llŷn gulhau'n bigyn, gallwn weld y môr yn heddychlon ac yn braf o'n blaenau ni, ac ambell gwch hwylio ar y gorwel.

Rhyfeddwn wrth weld bod Aberdaron yn bentref bach mor dlws, a thai bychan del yn ei ganol, pont fechan yn croesi'r afon, dwy dafarn a dwy siop. Arhosodd y bws y tu allan i un o'r siopau, ac agorodd y drws i adael arogl iach heli'r môr i mewn i'r bws.

Roedd hi'n noson hyfryd, a'r haul yn cael ei adlewyrchu ar y môr wrth iddo suddo i'r gorwel. Cerddodd Math a minna dros y bont fechan, ac yn syth am y traeth. Cefnai un o'r tafarndai ar y môr, ac eisteddai dau neu dri ar y tywod yn sipian eu diodydd, yn sgwrsio a chwerthin ac yn mwynhau eu nos Wener. Yswn am gael tynnu fy sanau a'm sgidiau a throchi 'nhraed yn y dŵr, ond roedd yr haul yn suddo'n gyflym, ac ro'n i'n dal heb ddod o hyd i gae i godi 'mhabell.

'Well i ni fynd... Mi ddown ni yn ein holau fory.'

Doedd gen i ddim syniad lle roedd yna wersyll, ac wrth gerdded drwy'r pentref, welwn i ddim arwydd am un, hyd yn oed. Ystyriais y dylen ni ddechrau cerdded yn ôl ar hyd y lôn y daeth y bws ar hyd iddi, ond ro'n i'n gwybod bod Aberdaron ymhell o bob man, a do'n i ddim am grwydro lonydd bach gwledig a hithau'n nosi.

'Dw i isio bwyd,' meddai Math, yn swnio'n ddiamynedd. Edrychai braidd yn flinedig. 'Be sy i swper?'

'Awn ni i'r siop i weld be sy ganddyn nhw i'w gynnig,' atebais yn bendant. Do'n i ddim am i Math wybod nad oedd gen i gynllun, a beth bynnag, mi fedrwn i ofyn i rywun yn y siop am le i wersylla.

Ond suddodd fy nghalon wrth i ni agosáu at siop y pentref. Roedd y goleuadau wedi'u diffodd a'r drws wedi'i gau. Wrth agosáu ati, sylweddolais fod yr arwydd 'Wedi Cau' i'w weld yn glir ar y drws. Roedd hi'n amlwg wrth edrych ar y siop fach arall fod honno hefyd wedi cau. Wedi cymryd cip o gwmpas y gornel, dyma ddod o hyd i siop jips, ond roedd honno hefyd ar gau.

Suddodd fy nghalon am yr eilwaith, a does gen i ddim cywilydd dweud fy mod i wedi ystyried, na, yn wir, wedi penderfynu rhoi'r gorau i'r antur yn y fan a'r lle. Mynd adref ac anghofio am wersylla, am Aberdaron a gofalu am Math. Roedd popeth yn ymddangos mor anodd.

Dach chi'n gweld, feddyliais i ddim am fwyd. Ro'n i mor siŵr mod i wedi meddwl am bopeth wrth baratoi am y trip yma, ond ro'n i wedi anghofio'r peth pwysica. Doedd Math na minna ddim wedi cael dim i'w fwyta ers amser cinio, a doedd gen i ddim tamed yn fy mag. Gallwn fod wedi cicio fy hun am wneud camgymeriad mor wirion. Awr ynghynt ro'n i a Math yn crwydro Pwllheli, a'r dre'n frith o siopau bwyd oedd ar agor. A feddyliais i ddim am fynd i mewn i un ohonyn nhw.

Penderfynais mai dim ond un ateb oedd bellach. Ildio. Gan ochneidio'n siomedig, estynnais am fy ffôn o 'mhoced i ffonio Mam. Mi fyddai'n flin efo fi ond doedd gen i fawr o ddewis. Fedrwn i ddim anfon Math i'w wely mewn pabell ynghanol cae dieithr ac yntau heb gael bwyd.

'Paid â phoeni,' cysurodd Math wrth i mi ddechrau deialu rhif adref ar fy ffôn fach. 'Mi gawn ni fwyd yn y dafarn draw fan 'cw.'

Edrychais i fyny ar fy mrawd, a rhoi'r gorau i ddeialu. 'Be?'

'Y dafarn ar y traeth. Roedd arwydd y tu allan yn dweud eu bod nhw'n gweini bwyd.'

Haleliwia. 'Math, rwyt ti'n werth y byd.'

Nodiodd Math yn ddi-wên, fel petawn i wedi dweud rhywbeth doeth iawn. Aeth y ffôn yn ôl i'm poced.

Roedd y dafarn yn rhyfeddol o brysur o gofio pa mor dawel oedd hi y tu allan, a phobol yn eistedd wrth fyrddau yn chwerthin a sgwrsio. Gallwn weld y môr drwy'r ffenestri mawr yng nghefn y dafarn, ac ambell gwpl yn eistedd yno'n mwynhau eu swper. Roedd o'n lle hyfryd, ac arogl y bwyd yn ddigon i dynnu dŵr o 'nannedd i.

Tydw i ddim yn meddwl bod y ddynes ganol oed y tu ôl i'r bar wedi arfer gweld dau fachgen ifanc yn chwilio am sgram yn ei thafarn. Edrychodd ar Math a minna mewn penbleth, gan lygadu'r bagiau mawr ar ein cefnau ni. A dweud y gwir, trodd ambell un o gwsmeriaid y dafarn i edrych arnon ni hefyd, gan wneud i mi deimlo fel petawn i wedi tyfu dau ben.

'Arhosa di yn fa'ma.'

Ro'n i'n awyddus i adael Math yn sefyll wrth y drws. Byddai'n cynhyrfu petai o'n sylweddoli cymaint o bobol oedd yn syllu arnon ni. Symudais draw at y bar lle safai'r ddynes ganol oed.

'Esgusodwch fi, ydach chi'n gweini bwyd?'

Chwarddodd y ddynes fel petawn i newydd ddweud chwip o jôc. 'Bwyd?'

'Ia,' nodiais, heb ddeall yn iawn pam roedd hi'n chwerthin. 'Fy mrawd a minna...'

'Lle ma' dy fam a dy dad, d'wad?' Edrychodd draw at Math, oedd yn syllu ar bosteri llachar ar yr hysbysfwrdd yn y gornel.

'Yn y... Wel. Maen nhw wedi mynd am dro.'

Daria. Am gamgymeriad dwl.

Wrth gwrs, byddai pobol yn amheus wrth weld dau berson ifanc fel Math a minna heb oedolyn i'n canlyn. Dylwn i fod wedi meddwl am stori cyn hynny. Gwyddwn ei bod hi'n amlwg i bawb fy mod i'n dweud celwydd. Fyddwn i ddim wedi coelio'r stori fy hun.

Cododd y ddynes un o'i haeliau arna i'n amheus, cyn ochneidio. 'Felly, rwyt ti'n dweud bod dy fam a dy dad wedi mynd am dro, ac wedi anfon dy frawd a thitha' i dafarn ar nos Wener i nôl swper?'

Bu saib am ychydig, a theimlwn fy ngheg yn sych wrth i mi geisio meddwl am ffordd o achub y sefyllfa. Yn y diwedd, dweud dim wnes i, ac aros iddi hi siarad. Ysgydwodd ei phen yn ddiamynedd. 'Wel, tydi o'n gwneud dim gwahaniaeth p'run bynnag.' Pwyntiodd â'i bys at arwydd du a gwyn y tu ôl i'r bar.

Dim plant o dan 14 ar ôl 7 o'r gloch

Fy nhro i oedd hi i ochneidio er cymaint ro'n i am adael y dafarn a'r llygaid amheus oedd yn fy nilyn i, ro'n i'n llwglyd iawn. Tawn i wedi bod ar fy mhen fy hun, efallai byddwn i wedi penderfynu gadael y dafarn ac aros tan y bore wedyn cyn cael rhywbeth i'w fwyta. Ond do'n i ddim ar fy mhen fy hun, a byddai diffyg bwyd yn ddigon i yrru Math yn wirion.

'Dw i yn 14,' mynnais, ond mi fedrwn ddweud nad oedd y ddynes yn fy nghredu. Pe bawn i'n fawr fel Dad a ddim yn fach ac yn denau, falla y byddai hi wedi 'nghoelio i. 'Mae gen i bres,' meddwn i'n obeithiol. 'Wnawn ni ddim codi twrw, dw i'n addo...'

Ysgydwodd y ddynes ei phen yn bendant. 'Tafarn ydi fa'ma, nid lle gwarchod plant. Gofynna i dy rieni sortio swper i dy frawd a thitha, mêt.'

'Ond...' Ochneidiais yn llawn anobaith. Cododd y ddynes ei haeliau arna i, fel petawn i'n dechrau mynd ar ei nerfau hi go iawn. Feiddiwn i ddim dal ati i ddadlau efo hi a hithau'n edrych mor flin.

Estynnais i'm poced i nôl papur decpunt, a'i roi'n dawel ar y bar. Doedd gen i ddim dewis – roedd yn rhaid i ni fwyta, a doedd nunlle arall ar agor. 'Deg pecyn o greision, os gwelwch yn dda.'

Dw i wedi darllen ganwaith am bobol sy'n gegagored mewn syndod, ond do'n i erioed wedi'i weld yn digwydd mor ddramatig o'r blaen. Agorodd y ddynes ei cheg fel petai hi'n bysgodyn. 'Be?'

'Pum pecyn caws a nionyn, a phump pecyn halen o finag, plis. O, a dau becyn o gnau hefyd, plis.'

Caeodd y ddynes ei cheg, a syllu arna i fel taswn i newydd regi arni. Yn araf iawn, estynnodd am y creision a'r cnau, a'u gosod nhw ar y bar. Ysgydwodd ei phen wrth nôl y newid o'r til, ond ddywedodd hi 'run gair.

'Diolch yn fawr,' meddwn i cyn troi fy nghefn arni.

'Agor dy fag, Math,' gorchmynnais, ac ufuddhaodd fy mrawd a chynnig ei fag agored i mi. Gollyngais y creision a'r cnau i mewn i'r bag, cyn agor drws y dafarn. Ro'n i'n falch o fynd o olwg y ddynes ganol oed y tu ôl i'r bar.

'Daria!' ebychais yn uchel wrth i Math a minna gamu allan i'r stryd. 'Anghofiais i ofyn am le i wersylla.'

'Paid â phoeni,' meddai Math, gan dynnu darn o bapur o'i boced ôl a'i gynnig i mi.

Fferm Tŷ Collen

Croeso mawr i garafanau a phebyll
Prisiau rhesymol a chyfleusterau modern
½ milltir o Aberdaron

Roedd map bach ar waelod y dudalen, yn dangos yn glir sut i gyrraedd yno. Mi fydden ni yno ymhen deng munud o gerdded.

'Math, lle gest ti hwn? Ti'n athrylith!'

'Wedi'i sticio ar yr hysbysfwrdd,' atebodd Math. Doedd gen i mo'r galon i esbonio iddo na ddylai rhywun gymryd yr hysbysebion hynny. Wedi'r cyfan, roedd Math newydd ddatrys un o'n problemau mwya un, oedd yn gwasgu'n drwm arna i, chwarae teg iddo.

Pennod 5

ROEDD YR AWYR yn dechrau troi'n binc erbyn i ni gyrraedd Fferm Tŷ Collen, a'r haul yn dechrau suddo i'r gorwel. Byddai'n rhaid i ni godi'r babell yn gyflym. Do'n i ddim am fod yn sortio'r polion a hithau wedi tywyllu.

Dim ond am ddeng munud y bu Math a minna'n cerdded, ond roedd hynny'n ddigon i wneud i'r lle deimlo ymhell o bob man. Safai'r ffermdy ar ben clogwyn uchel, a'r môr yn sisial wrth droed y creigiau oddi tano fel ochenaid. Roedd dau gae y tu ôl i'r tŷ, ac roedd y rheiny wedi'u britho â phebyll a charafanau, ac ambell gampafan hefyd. Roedd plant yn chwarae pêl-droed yn un o'r caeau, a phlant bach o deulu arall yn chwarae â'u doliau o flaen clamp o dipi mawr lliw hufen. Roedd cyplau oedrannus yn eistedd o flaen eu carafannau, gwydrau gwin yn eu dwylo, yn darllen papur neu'n gwylio'r haul yn machlud.

Roedd o'n lle braf a phawb yn edrych mor garedig. Byddai Math a minna'n iawn yn y fan hyn. Bydden ni'n siŵr o fwynhau ein hunain ganwaith yn fwy na phetaen ni wedi mynd i Gaerdydd at Dad. Edrychais ar Math. Syllai ar y cae a golwg bryderus ar ei wyneb.

'Be sy'n bod?' gofynnais, gan ofni'r ateb.

'Mae 'na lawer o bobol yma.'

Ochneidiais yn dawel wrthyf fy hun. Fel arfer, byddwn i wedi troi ar fy sawdl a cherdded i ffwrdd yn hytrach na thrio rhesymu â Math, ond doedd gen i ddim dewis. Roedd hi'n nosi, a dyma oedd yr unig gae i wersylla ynddo y gwyddwn amdano yn yr ardal.

'Ydi, mae o'n brysur,' cyfaddefais yn ofalus. 'Ond sbia pa mor hapus ydi pawb! Ac maen nhw'n dawel, yn tydyn nhw?'

Nodiodd Math ei ben i gytuno ond daliai i edrych braidd yn betrus.

'A sbia,' pwyntiais at gornel bella'r cae. 'Mae 'na lecyn bach tawel yn fan 'cw... Mi gawn ni godi'n pabell yn fan'no, yn ddigon pell oddi wrth bawb.'

'Be 'di'r adeilad 'na yn ei ymyl o?'

'Tai bach a chawodydd a ballu – handi, yn'de! Fydd dim rhaid i ni gerdded yn bell i wneud pi-pi!'

Cerddais yn ffug hyderus at y ffermdy i holi a fyddai hi'n iawn i ni godi'n pabell yn y cae, ond roedd arwydd bach yn y ffenest mewn ysgrifen eglur.

PEIDIWCH â chanu'r gloch ar ôl 6 y nos.
Os byddwch chi'n cyrraedd yn hwyrach na hynny, codwch eich pabell a thalwch yfory.

Perffaith. Fyddai dim rhaid i ni weld unrhyw un.

Heb ddweud gair, arweiniais Math at gornel dawel ar y cae. Roedd rheswm go dda pam ei fod o'n dawel. Medrwn arogli'r tai bach yn eithaf cryf o'r fan honno, a doedd yr adeilad llwyd ddim yn creu'r olygfa orau yn y byd. Ond, a bod yn deg, roedd yr olygfa i'r cyfeiriad arall yn hyfryd: tonnau'r môr yn rholio'n araf tua'r lan, ac Ynys y Gwylanod yn codi o'r môr. Adlewyrchai'r môr y machlud prydferth, a bellach roedd y sêr yn dechrau ymddangos yn yr awyr o un i un.

Bobol annwyl. Sêr yn barod. Byddai'n rhaid i mi frysio i godi'r babell cyn y byddai pob man fel bol buwch.

'Stedda di ar y gwair,' meddwn wrth Math. 'Mi goda i'r babell.'

Estynnais y babell o'r bag, a dechrau tynnu'r cynfas a'r polion allan yn ofalus.

'Na.'

Edrychais ar fy mrawd, oedd yn sefyll yn gefnsyth fel milwr, a'i lygaid ar y gwair. 'Be?'

'Dw i ddim am ista ar y gwair. Na. Na.'

O, bobol bach. Dyma ni'n dechrau. Roedd y rhagolygon yn ddrwg. Dechreuodd Math symud ei bwysau o'r naill droed i'r llall fel y byddai'n gwneud cyn dechrau nadu.

'Pam?'

'Pryfaid bach, a mwd, a nadroedd a phry genwair.'

'Dw i'n siŵr nad oes un o'r pethau yna yn fa'ma, sti.' Cefais fy anwybyddu'n llwyr. Os na fyddwn i'n sortio Math rŵan hyn, byddai o'n sicr yn dechrau nadu, ac yn styrbio pawb arall oedd yn gwersylla yno ac yn trio mwynhau gogoniant y machlud.

'Does dim rhaid i ti ista os nad wyt ti isio. Mi gei di sefyll.'

'Dw i isio cadair. Fel y rhai sy ganddyn nhw.' Pwyntiodd Math at ein cymdogion agosa, gŵr a gwraig ganol oed o flaen eu carafán, ill dau'n eistedd mewn cadeiriau efo baner Cymru'n blastar drostynt. Edrychodd y ddau i'n cyfeiriad ni dan wenu.

'Sgynnon ni ddim cadeiriau,' meddwn i wrth Math, gan

wenu 'nôl ar y bobol ganol oed. 'Ond mi gei di ista yn y babell ar ôl i mi ei chodi hi.'

Wnaeth hyn ddim lleddfu fawr ar Math, ond es ati p'run bynnag i godi'r babell. Doedd gen i fawr o ddewis.

Ro'n i wedi dychmygu mai joban bum munud fyddai ei chodi. Byddai unrhyw ffŵl yn medru gwneud hynny. Rhoi'r polion yn y llefydd iawn, taflu cynfas dros y cyfan, cadw'r holl beth yn ei le drwy ddefnyddio pegiau a'u morthwylio i mewn i'r ddaear. Ond y gwir ydi, wrth gwrs, nad oes dim byd mor syml ag y mae o'n ymddangos. Sialens ydi codi pabell, ac mae'n fwy o sialens byth wrth i'r nos gau o'ch cwmpas chi, a chymeriad anodd, diamynedd fel Math yn bygwth ffrwydro unrhyw eiliad.

Roedd llyfryn bach o gyfarwyddiadau efo'r babell, ond fedrwn i ddim yn fy myw â'i ddallt o. Edrychai'r diagramau fel sgribls babi blwydd i mi, a doedd y geiriau fawr gwell. Es ati, felly, i drio codi'r peth gan ddefnyddio dim byd mwy na synnwyr cyffredin, ond, a dweud y gwir, doedd gen i ddim llawer o hwnnw chwaith o weld cyflwr y babell. Tri chwarter awr ar ôl dechrau, roedd y babell yn dal yn ddarnau ar lawr, a'r haul wedi hen ddiflannu. Wrth iddo sefyll o dan olau'r lloer, dechreuodd Math hymian ei 'mmm, mmm, mmm' yn ddiddiwedd – arwydd sicr bod y cwyno diddiwedd ar y ffordd.

'Paid â phoeni, Math, fyddwn ni ddim yn hir rŵan,' dywedais, er nad o'n i'n coelio 'ngeiriau fy hun. Gallwn deimlo 'nghalon yn drymio yn fy mrest, a'r panig yn dechrau codi go iawn wrth i mi amau fy ngallu i godi'r babell o gwbl. Be wnawn i petawn i'n methu codi'r babell? Lle byddai Math a minna'n cysgu?

'Esgusodwch fi,' meddai llais y tu ôl i mi. 'Ydach chi isio help llaw?'

Trois yn gyflym i weld y dyn canol oed o'r garafán gyfagos yn sefyll yng ngolau'r lleuad, yn syllu arna i a gwên fach ar ei wyneb. Clamp o ddyn mawr tew oedd o, ag wyneb coch a phen moel, sgleiniog. Medrwn weld ei wraig yn syllu arnon ni drwy ffenest eu carafán, a'r llenni fel gwallt hir bob ochr i'w hwyneb pryderus.

'Dim diolch,' atebais, gan wneud fy ngorau i swnio'n werthfawrogol. Y gwir oedd bod presenoldeb y dyn yn gwneud Math yn nerfus, a dechreuodd nadu'n uwch.

'Fydda i ddim dau funud yn ei chodi hi, wyddoch chi,' meddai'r dyn yn glên. 'Dyn pabell ydw i, a dweud y gwir, ond bod y wraig wedi mynnu cael carafán.'

''Dan ni'n iawn, diolch,' meddwn i. Ymddangosai'r dyn yn garedig iawn, ond do'n i ddim am dderbyn help gan unrhyw un. Beth pe baen nhw'n dyfalu mai wedi rhedeg i ffwrdd roedd Math a minna?

Safodd y dyn am ychydig, fel petai'n trio penderfynu beth i'w wneud nesaf. Edrychais i ddim arno fo. Gwthiais un o'r polion i mewn i dwll yn y cynfas a gobeithio y byddai'r dyn yn ei heglu hi o 'na.

'Dwn i ddim os ydach chi'n sylweddoli,' meddai'r dyn, 'ond mae'r polion a'r tyllau sy yr un lliw yn mynd efo'i gilydd.' Edrychais i fyny mewn penbleth. 'Dach chi'n gweld, dach chi newydd wthio polyn coch i mewn i dwll melyn. Ond mae 'na dwll coch yn fa'ma. Dyna lle ma'r polyn coch yn mynd...'

Ymhen chwarter awr, roedd y dyn a minna wedi codi'r babell ac wedi'i phegio hi yn y ddaear. Roedd yr holl beth wedi bod yn ddigon hawdd, a dweud y gwir, unwaith yr esboniodd y dyn wrtha i sut oedd gwneud. Ar ôl hoelio'r peg ola i mewn yn y pridd, safodd y dyn a minna yn ôl i edmygu ein campwaith.

'Diolch,' meddwn i, allan o wynt braidd.

'Dim o gwbl,' atebodd yntau efo gwên. 'Mae'n braf gallu helpu.'

Teimlais lygaid y dyn yn edrych draw ata i, fel petai o'n trio penderfynu sut oedd mynd ati i holi ei gwestiwn nesaf.

'Wrth gwrs, mi fydd Mam a Dad yma mewn munud,' meddwn â gwên fawr ffug. 'Mi fyddan nhw'n falch o weld bod y babell ar ei thraed!'

Roedd yr olwg o ryddhad ar wyneb y dyn yn amlwg. Dyfalwn ei fod o ar fin holi a oedd yna oedolion efo ni.

'Yn y pentre maen nhw,' nodais, gan greu'r celwydd yn fy mhen wrth i mi siarad. 'Wedi cael swper yn y dafarn ar lan y môr. Doedd Math a minna ddim yn cael mynd yno. Tydi plant a phobol ifanc ddim yn cael mynd i mewn yno ar ôl saith y nos.'

'A!' ebychodd y dyn, fel petai fy esboniad i'n datrys dirgelwch mawr.

'Wrth gwrs, roedd Mam a Dad isio gadael y dafarn hefyd, ond mi fynnais i eu bod nhw'n aros i gael pryd o fwyd. Mi ga i bres poced ychwanegol am godi'r babell, meddai Dad.' Gwenais, a chwarddodd y dyn, gan wneud i'r bloneg ar ei fol grynu.

'Wel, cysgwch yn dawel.'

'Mi wnawn ni, diolch.'

Trodd y dyn i adael ond oedodd wrth i'w lygaid gyfarfod â llygaid Math. Roedd o'n dal i symud ei bwysau o'r naill droed i'r llall, gan syllu ar y gwair, ac yn mwmian ei 'mmm, mmm, mmm' wrtho'i hun.

'Efallai y baset ti a dy frawd yn licio dod draw i'r garafán i gael siocled poeth, i aros am eich rhieni?'

Gwenais yn wan. 'Na, mae'n iawn. Wedi blino mae Math. Mi fydd o'n cysgu ymhen hanner awr.'

Roedd hi'n hollol amlwg i mi a'r dyn bod rhywbeth mwy o'i le ar Math na blinder, ond do'n i ddim am ddechrau trafod hynny efo'r dieithryn yma, waeth pa mor garedig oedd o.

'Reit-o,' atebodd yntau, yn amlwg wedi deall y byddai'n well gan Math a minna gael llonydd. 'Nos dawch.'

Wedi iddo gau drws y garafán ar ei ôl, ac i siâp ei wraig ddiflannu y tu ôl i'r llenni, amneidiais ar Math i ddod i mewn i'r babell. 'Sbia clyd ydi hi!'

Aeth y ddau ohonon ni i mewn dan gynfas y babell. Roedd hi fel bol buwch yno. Chwiliais yn fy mag am fy fflachlamp, a gwthio'r botwm bach. Saethodd llinell denau o olau ohoni.

'Tydi hwnna ddim yn olau iawn,' cwynodd Math.

Penderfynais ei anwybyddu. 'Mae 'na ddwy fflachlamp, un i ti ac un i mi. A digon o fatris!'

'Dw i'n llwgu.'

Rhegais dan fy ngwynt, a goleuo fy oriawr â'r fflachlamp. Hanner awr wedi naw, a doedd Math na minna ddim wedi cael 'run tamaid i'w fwyta ers amser cinio. Ro'n i wedi anghofio popeth am y bagiau creision a chnau a brynais i yn y dafarn yn Aberdaron.

'Be am i ni fynd i folchi a brwsio'n dannedd yn gyntaf, a gwisgo'n pyjamas. Mi gawn ni fwyta yn ein sachau cysgu wedyn. Mi fydd hynny'n antur.' Fedrwn i ddim gweld ymateb Math a hithau mor dywyll, ond ddywedodd o 'run gair, felly penderfynais fwrw 'mlaen â'r cynllun.

Roedd y golau yn y bloc ymolchi yn llachar, a hedfanai gwyfyn mawr tew o'i gwmpas, gan daro i mewn i'r bwlb nawr ac yn y man. Roedd y tai bach a'r sinciau yn lân, er yn hen yr olwg. Cymerais gip ar y cawodydd, oedd yn edrych yn gymharol newydd, a photiau o shampŵ a sebon i bobol gael eu defnyddio.

Estynnais ein brwshys dannedd o'r bag a gwasgu blobyn bach o bast dannedd ar y ddau. Aeth Math ati i frwsio'i ddannedd yn ei ffordd drylwyr arferol – dannedd cefn, top, chwith; cefn, top, dde; cefn, gwaelod, chwith; cefn, gwaelod, dde; y ffrynt ar y gwaelod; y ffrynt ar y top. Roedd o wedi brwsio'i ddannedd yn yr un ffordd yn union, bob dydd, ddwywaith y dydd, ers iddo fedru dal brws dannedd. Gwyliais wrth iddo gymryd y wlanen o'r bag ymolchi a'i phlygu'n driongl tyn, cyn ei dal o dan y tap dŵr oer a thynnu talp o sebon drosti. Roedd hyn yn rhywbeth arall a wnâi Math bob bore a nos – a phob un manylyn yn union yr un fath bob tro. Heblaw am un peth mawr. Dim yn ein hystafell ymolchi glyd, gynnes oeddan ni rŵan, ond mewn adeilad llwyd ynghanol cae.

'Tyrd, 'ta,' meddwn, gan sylwi ar y cysgodion du oedd o dan lygaid Math. Roedd o'n edrych wedi ymlâdd. Siawns na fyddai o'n cysgu ar ôl prynhawn mor hir.

Anghofia i fyth mo'r noson honno, a Math a minna'n swatio

yn ein sachau cysgu, yn sglaffio pecyn ar ôl pecyn o greision, y babell fel bol buwch a sisial y môr yn dawel yn y cefndir. Er na fedrwn weld Math, medrwn glywed pob symudiad a wnâi, a theimlo gwres ei gorff.

Ro'n i'n dechrau magu poen yn fy mol ar ôl y pumed pecyn o greision, a gorweddais yn ôl yn fy sach gysgu, yn barod am noson o gwsg. Ro'n i wedi anghofio dod â chlustogau efo mi. Ydach chi wedi trio cysgu erioed efo côt wedi'i rholio'n belen o dan eich pen? Mae'n rhyfeddol o anghyffordddus, waeth pa mor feddal ydi'r gôt. Fedrwn i ddim yn fy myw â dod o hyd i ran digon meddal o'r gôt i fod yn gyfforddus – roedd hi'n fotymau ac yn sipiau i gyd.

Ar ôl ychydig funudau, daeth crensian Math i ben, a theimlwn ei fod yntau hefyd wedi gorwedd yn ôl, yn barod i gysgu. Ro'n i wedi synnu at ei ymddygiad yn ystod y dydd. Ar wahân i ryw fymryn o nadu pan oedd y babell yn cael ei chodi, roedd Math wedi bihafio ganwaith gwell nag o'n i wedi'i ddisgwyl.

Mae'n rhaid i mi gyfaddef, am ddeng munud fer, yn y tywyllwch mewn cae nid nepell o Aberdaron, credwn yn siŵr y byddai Math a minna'n iawn ar ein pennau'n hunan. Bydden ni'n mwynhau'r gwyliau, yn cael blas ar ryddid. Efallai y gallwn i newid Math er gwell ac y byddai o'n haws ei drin ar ôl treulio ychydig wythnosau mewn pabell ger y môr.

Ddyliwn i ddim fod wedi caniatáu i mi fy hun fyfyrio ar y ffasiwn bethau, achos o fewn chwarter awr i mi gau fy llygaid i gysgu, trodd y babell fach honno'n uffern llwyr.

Dal i ddarllen, Miss Jenkins? Dw i'n synnu. Ro'n i'n siŵr y byddech chi wedi cau'r llyfr yn glep a sgwennu 'F' fawr ar y tu blaen mewn inc coch erbyn hyn. Erbyn hyn, rydach chi'n siŵr o fod wedi deall nad prosiect Daearyddiaeth mo hwn, dim y math dach chi wedi gofyn amdano, p'run bynnag.

Petawn i'n disgrifio popeth a wnaeth Math y noson honno, mi fyddwn i'n sgwennu drwy'r nos. Ond mae'n rhaid i chi gael gwybod, 'run fath. Wnewch chi ddim dallt fel arall. Mi wna i restr i chi. Dw i'n cofio i chi ddweud bod rhestr o ffeithiau yn bethau pwysig i'w cael mewn prosiect.

1)   Cododd Math 17 o weithiau i fynd i wneud pi-pi. Roedd gwlith y nos yn gwlychu ei draed bob tro roedd o'n mynd allan, ac roedd yn rhaid eu sychu nhw'n drylwyr efo lliain wedi iddo ddychwelyd.

2)   Cwynodd Math fod ganddo boen yn ei fol. Fedrwn i ddim dweud mod i'n synnu – doedd cael swper o greision ddim yn syniad gwych, ond do'n i ddim yn meddwl bod angen yr holl riddfan.

3)   Am hanner nos, dechreuodd Math weiddi 'Mam!' drosodd a throsodd, nerth esgyrn ei ben. Triais fy ngorau i resymu ag o, sibrwd yn glên, ond na. Gyda phob gwaedd, cynyddai fy mhanig i. Mi fedrai'r holl gae glywed pob gair drwy gynfas tenau'r babell. Ro'n i wedi blino hefyd, ac mi gollais fy amynedd, a gweiddi, 'Cau dy geg, Math!' yn uchel. Cododd Math a'i heglu hi o'r babell, allan i dywyllwch y nos.

4)   Pedwar cae i'r gorllewin, ac mi ddois i o hyd i Math yn eistedd a'i goesau fel coesau teiliwr ynghanol y gwair

gwlyb, ei byjamas yn socian mewn gwlith. Roedd o'n edrych fel llun hudol, a'r lleuad llawn uwch ei ben yn ei oleuo'n las breuddwydiol. Roedd yn gafael yn y prism a brynais iddo'n dynn yn ei law, gan rwbio'r gwydr llyfn yn erbyn ei foch.

Eisteddais i lawr wrth ei ymyl, a dilyn ei lygaid. Safai Ynys y Gwylanod yn gadarn a thywyll yn y dŵr, ond heb unrhyw arwydd o olau ar gyfyl y lle.

'Pam gwnest ti weiddi fel 'na rŵan? Beryg i ti ddeffro pawb yn y cae...'

'Pam gwnest ti weiddi?' gofynnodd Math yn gyhuddgar. Ochneidiais yn dawel. Doedd dim rhesymu ag o.

'Mi fydd y siopau yn y pentre ar agor fory. Mi gawn ni frecwast hyfryd.' Gwnes fy ngorau i swnio'n bositif, er mod i ynghanol cae ymhell o adref, yn wlyb at fy nghroen am dri o'r gloch y bore. 'Pam na ddoi di 'nôl i'r babell i gysgu rŵan, i ni gael codi'n gynnar i fynd i'r siop?'

'Mi ddwedaist ti lot o gelwydda heddiw,' meddai Math, gan anwybyddu fy nghwestiwn yn llwyr. Rhwbiodd flaenau ei fysedd ar y prism. 'Wrth Mam, a'r ddynes yn y dafarn, a dyn y garafán...'

'Do, dw i'n gwybod.'

'Dwyt ti ddim i fod dweud celwydda.'

'Wel, trio gwarchod pobol ro'n i, yntê. Mae'n iawn dweud celwydda bach i warchod teimladau pobol.'

'Dw i'm yn dallt.'

'Dweud celwydd wrth y bobol yna rhag iddyn nhw boeni amdanon ni. Mi fydden nhw'n meddwl bod rhywbeth o'i le o wybod bod dau fachgen ifanc fel ti a fi yn mynd i gampio heb oedolion, yn bydden?'

Nodiodd Math wrth gytuno.

'Do'n i ddim isio iddyn nhw boeni, dyna pam ddeudais i gelwydda.'

'Oes 'na rywbeth o'i le, bod ti a finna yma ar ein penna'n hunain?' gofynnodd Math drachefn.

'Dim byd. Dim byd o gwbl.' Byddwn i wedi bod wrth fy modd yn teimlo mor sicr ag ro'n i'n swnio.

Cynigiais y byd i Math y noson honno, dim ond i'w gael o 'nôl i'r babell, ond gwrthod wnaeth o. Eisteddodd y ddau ohonon ni yn y cae tan y wawr, a minna'n crynu yn awel y môr ac yn gwylio'r tonnau'n torri ar y creigiau.

Pennod 6

'Os DACH CHI'N gofyn i mi, ddylai hogia fel fo ddim cael gwersylla yn y lle cynta. Sbwylio popeth i'r gweddill ohonan ni.'

'Be dach chi'n feddwl, hogia fel fo?'

'Dach chi'n gwybod... ddim cweit yn iawn...'

Torrodd y geiriau drwy fy mreuddwyd ac agorais fy llygaid yn araf. Roedd hi'n grasboeth yn y babell. Do'n i ddim yn siŵr o ble roedd y lleisiau'n dod i ddechrau, ond wedyn cofiais mor agos oedd y babell at y bloc ymolchi. Byddai Math a minna'n medru clywed sgyrsiau unrhyw un oedd yn pasio.

Roedd hi'n chwech o'r gloch y bore, ac yn olau, erbyn i Math gytuno i ddod yn ôl i'r babell i gysgu. Ro'n i wedi dechrau hepian yn y cae, a 'mhen yn plygu mlaen bob hyn a hyn. Heb ddweud gair, cododd a cherdded drwy'r caeau, a'r adar bach newydd ddeffro'n canu o'i gwmpas. Tynnodd ei ddillad gwlyb i gyd, cyn dringo i mewn i'w sach gysgu; gwnes innau 'run fath, fy llygaid yn brifo gan flinder.

Edrychais ar fy oriawr. Hanner awr wedi un ar ddeg. Mi allwn i fod wedi cysgu am oriau eto, heblaw am y teimlad o fod eisiau bwyd yn cnoi yn fy stumog. Gwisgais fy nillad, cyn gorwedd yn ôl ar fy sach gysgu i aros nes byddai Math yn deffro.

Roedd o'n edrych mor heddychlon, fel petai ei feddwl o'n hollol wag. Pan fyddai Mam yn cysgu, mi fedrwn ddarllen ei breuddwydion o'r olwg ar ei hwyneb. Byddai gwg fach, neu gysgod gwên, yno o hyd. Ond nid felly Math. Na, roedd hwnnw fel robot oedd yn tynnu'r plwg cyn mynd i gysgu.

Mae'n rhyfedd sut mae rhai atgofion yn glir, a rhai eraill yn niwlog, yn tydi? Mi fedra i gofio rhai pethau mewn manylder anhygoel: prydau bwyd arbennig mor bell â phedair blynedd yn ôl, lliw'r platiau, a be ges i i'w yfed.

Eto, mae ambell atgof fel petai'n perthyn i fywyd arall. Dw i'n siŵr mai dim ond rhyw chwe blwydd oed o'n i pan ddigwyddodd un o fy atgofion cynharaf. Ces i 'neffro ynghanol y nos gan sibrwd yn llofft Math a minna. Agorais fy llygaid ac edrych draw at y sŵn. Mam a Dad, y ddau'n sefyll uwchben cot Math, yn edrych i lawr arno. Doedd o fawr hŷn na babi ar y pryd, wrth gwrs, a'i fochau'n dal yn dew a choch fel bydd rhai plant bach.

"Ngwas i,' sibrydodd Mam, gan wenu'n fwyn. Roedd ei gwallt hi'n hirach bryd hynny, a chrogai'n dlws dros ei hysgwyddau'n donnau tywyll.

Doedd Dad, ar y llaw arall, ddim yn gwenu. 'Fedri di ddim gwadu. Mae'n rhaid i ni fynd â fo i weld rhywun.'

Ysgydwodd Mam ei phen yn bendant. 'Bach ydi o! Maen nhw i gyd yn cambihafio'r oed yma.'

'Ddim fel hyn, Menna. Roedd Twm yn...'

'Dyna dy ddrwg di!' hisiodd Mam drwy'i dannedd. 'Rwyt ti'n cymharu'r ddau! Maen nhw'n gymeriadau hollol wahanol!'

'Ydyn, yn anffodus,' brathodd Dad yn biwis cyn gadael yr ystafell.

Mae'n gas gen i gyfaddef, ond Dad oedd yn iawn. Roedd hi'n hollol amlwg, mor gynnar â hynny hyd yn oed, nad oedd Math yr un fath â phlant eraill yr un oed ag o. Bryd hynny, doedd Mam ddim yn fodlon derbyn y dystiolaeth oedd yn ei hwynebu hi bob dydd, er mor amlwg oedd hi i bawb arall.

Y diwrnod hwnnw roedd Math wedi creu twrw yn yr archfarchnad. Ar y ffordd yn ôl o Fangor oeddan ni, wedi bod yn crwydro'r siopau. Wrth ymyl y ffrwythau a'r llysiau yn yr archfarchnad roedd Mam yn dal bag plastig yn agored, a Dad yn ei lenwi ag orennau mawr. Plygodd hen wreigan uwchben Math, ac yntau'n eistedd yn y troli, a gwenu arno'n glên drwy sbectol fach gron.

'Hello, my darling,' meddai mewn Saesneg crand. 'What's your name, then?'

Dwn i ddim be ypsetiodd Math. Efallai i'r ddynes ddod yn rhy agos at ei wyneb, neu hwyrach fod ei hacen grand yn swnio'n ddieithr iddo. Efallai fod Math wedi blino ar ôl diwrnod hir ym Mangor. Beth bynnag oedd yn bod arno, gwallgofodd Math yn llwyr mewn chwinciad llygad madfall, a cholli pob rheolaeth arno'i hun. Cydiodd mewn afal mawr gwyrdd o'r troli, a'i daflu ar lawr i gyfeiriad yr hen wraig. Yna, estynnodd Math beth bynnag y gallai gael gafael arno o'r troli a'i daflu i'w chyfeiriad – pecyn o fenyn, sebon, potel blastig o ddiod oren. Sgrechiai Math nerth esgyrn ei ben, ei wyneb bach teirblwydd yn llawn gwenwyn a chasineb, a'i fochau'n goch.

Roedd pawb yn yr archfarchnad wedi stopio i syllu ar y plentyn bach – pob un yn gegagored, bron yn methu coelio'r hyn roeddan nhw'n ei weld. Mewn un symudiad cyflym, cododd Dad Math o'r troli, a'i ddal yn dynn yn ei freichiau fel na allai symud. Daliai Math i sgrechian a'r poer yn glafoerio i lawr ochr ei geg ac yn llifo'n afon i lawr ei grys-T. Roedd o'n cicio ei goesau ac wedi gwallgofi'n llwyr.

Aeth dynes ifanc draw at yr hen wraig, a rhoi ei braich am ei hysgwyddau. Roedd yr hen wraig yn welw ar ôl cael y ffasiwn sioc.

'I'm sorry,' ymddiheurodd Mam, a'i llais yn torri. Edrychais draw ati a sylwi ei bod fel petai ar fin crio.

Trodd y ddynes ifanc i sbio ar Mam fel petai hi'n faw. 'Dw i'm yn gwybod pam mae rhai pobol yn trafferthu i gael plant os nad ydyn nhw'n medru edrych ar eu hôl nhw.'

Y noson honno, a Mam a Dad yn sefyll uwchben ei wely, roedd hi'n anodd credu mai Math oedd yr hogyn a greodd y ffasiwn helynt. Edrychai fel angel, ei gyrls du'n glynu at ei ben â chwys cysglyd.

Ar fin gadael y babell am y pentref roedd Math a minna pan ddaeth gwaedd o'r ochr arall i'r cynfas. 'Dach chi yna?' Agorais sip y babell yn betrus, a gweld dyn ifanc yn sefyll yno mewn pâr o welingtons a chap stabl ar ei ben. Roedd yn edrych fel pe bai yn ei dridegau, ei groen wedi brownio yn yr haul ac roedd ganddo lygaid mawr glas.

'Ydi dy rieni di o gwmpas?' gofynnodd yn ddisymwth.

Camais allan o'r babell a sefyll ar y gwair. Roedd hi'n braf, a'r olygfa allan dros y môr yn edrych fel paradwys.

'Maen nhw wedi mynd am dro.'

'Am dro?'

'Ia, wedi mynd ben bore 'ma.'

'Oes gen ti syniad pryd y byddan nhw 'nôl?'

'Ddim tan yn hwyr. Maen nhw'n gerddwyr brwd. Ces i a 'mrawd gynnig mynd efo nhw, ond roedd yn well gynnon ni aros o gwmpas fan 'ma'n diogi.'

Nodiodd y dyn a syllu arna i a Math yn y babell. 'Fi bia'r cae yma.'

'O! Mi roddodd Mam a Dad bres i mi ei roi i chi.' Chwilotais yn fy mag yn y babell am fy waled. 'Ym... faint ydach chi isio?'

'Am ba hyd y byddwch chi'n aros?'

Bu saib hir rhyngom. Y gwir oedd mod i eisiau dweud 'chwe wythnos', ond byddai hynny'n swnio'n wirion. Oedd pobol yn aros mewn pebyll am chwe wythnos? Doedd gen i ddim syniad.

'Faset ti'n licio talu am ddwy noson, ac wedyn ga' i sortio'r gweddill pan fyddwch chi wedi penderfynu pa mor hir ydach chi am aros?'

'Grêt!' atebais yn frwd. 'Faint ydi o am ddwy noson?'

'Ugain punt, plis.'

Edrychais i fyny ar y dyn yn gegagored. Oedd o'n tynnu 'nghoes i? Deg punt y noson am gael cornel bach o'i gae anferth o?

'Ydi popeth yn iawn?'

Haleliwia. Doedd o ddim yn tynnu coes. 'Yndi, tad! Ym... meddwl mor rhesymol ydi'ch costau chi o'n i!' Edrychodd y dyn arna i fel petawn i wedi dweud rhywbeth od. Wrth roi'r papur ugain iddo, mi wnes i'r syms yn fy mhen yn gyflym.

Deg punt y noson. Saith noson yr wythnos, am chwe wythnos. Byddai hynny'n costio dros £400.

Beth ar wyneb y ddaear ro'n i'n mynd i'w wneud?

'Wnei di anfon dy rieni draw i'r tŷ pan ddown nhw yn eu holau? Mi liciwn i gael gair efo nhw.'

'Falla y byddan nhw'n hwyr...'

Ochneidiodd y dyn, a chraffu ar fy wyneb i, fel petai o'n trio datrys rhyw broblem. "Dan ni wedi cael cwynion gan rai o'r gwersyllwyr eraill.'

'Cwynion?' Llyncais fy mhoer.

'Am y sŵn.'

Wyddwn i ddim beth i'w ddweud. Fedrwn i weld dim bai ar bobol am gwyno. Roedd Math wedi gwneud coblyn o dwrw, wedi'r cyfan. Do'n i ddim am drio esbonio i'r dyn yma pam roedd Math wedi gwneud y fath sŵn. Beth bynnag, wyddwn i ddim a o'n i fy hun yn dallt.

'Sorri,' meddwn, a'm llais yn gryg. 'Dw i'n siŵr y bydd o'n well heno, ar ôl iddo gael cyfle i arfer efo'r babell.'

Syllodd y dyn i mewn i'r babell ar Math. Tra o'n i wedi bod yn siarad, roedd o wedi gwagio'r bagiau, a threfnu popeth yn un rhes ar lawr y babell – trôns ar un ochr, wedyn jîns wedi'u plygu'n dwt, crysau-T, jympars. Roedd popeth yn berffaith daclus, yn hollol syth.

Roedd hi'n hollol amlwg i'r dyn nad oedd Math fel pobol eraill.

'Yli,' meddai'r dyn yn rhesymol. 'Tydw i ddim am fod yn gas. Dw i'n meddwl ei bod hi'n grêt bod dy frawd wedi dod ar wyliau. Ond mae pobol angen eu cwsg.'

'Dw i'n dallt.'

Rhoddodd y dyn wên fach wan, cyn cymryd un cip bach olaf ar Math a'i throi hi am y ffermdy. Syllais ar ei ôl. Gobeithiwn o waelod fy nghalon na fyddai Math yn rhoi rheswm iddo ddod yn ôl drannoeth.

Wyddoch chi, mae'n beth rhyfedd iawn i gael ychydig o reolaeth dros eich bywyd a chithau wedi dod i arfer â rhywun arall yn gwneud y penderfyniadau i gyd ar eich rhan. Mam fyddai'n gwneud y siopa bwyd i gyd yn ein tŷ ni. Byddwn i'n piciad i'r siop weithiau, wrth gwrs, i brynu fferins neu becyn o greision, ond roedd hynny'n wahanol.

Lle eitha bychan oedd y siop lle prynodd Math a minna ein brecwast. Tydw i ddim yn siŵr a fues i rioed mor fodlon fy myd ag o'n i yn y siop yna, yn crwydro o silff i silff yn taflu unrhyw beth oedd yn cymryd fy mryd i mewn i'r fasged, ac yn annog Math i wneud yr un fath. Erbyn y diwedd, roedd cynnwys y fasged yn wahanol iawn i'r hyn fyddai Mam wedi'i ddewis i ni:

Pecyn o 4 sosej rôl

4 pecyn o greision 'prawn cocktail' (hoff flas Math)

2 Mars bar

2 Snickers

3 Curly Wurly

1 Bounty (i mi – fedr Math mo'u diodde' nhw...)

2 botelaid fawr o bop

Torth o fara gwyn mewn tafelli

Pecyn mawr o ham

Fy syniad i oedd mynd â'r wledd i'r traeth. Ro'n i'n gwybod bod hynny'n beth peryglus i'w wneud gan nad oedd Math yn hoff iawn o dywod. Ond roedd yr addewid am frecwast mawr wedi codi 'nghalon i ac ro'n i'n llawn ffydd.

Wyddoch chi, wnaeth Math ddim cwyno o gwbl drwy'r dydd. Wel, ocê. Falla fod hynny'n gor-ddweud. Dechreuodd ar ei hymian ar ôl gweld clamp o bry copyn yn y tai bach cyhoeddus, a thriodd gerdded yn ôl i'r babell pan welodd o hogiau'n chwarae pêl-droed ar y traeth. Roedd arno fo ofn cael ei daro gan y bêl, dw i'n meddwl. Ond y pwynt ydi, wnaeth o ddim nadu; wnaeth o ddim codi ei lais; wnaeth o ddim rhedeg i ffwrdd. Mi a' i mor bell â dweud bod Math wedi mwynhau ar y traeth yn Aberdaron. Roedd o wedi dod â'i bapur a'i bensiliau efo fo, a threuliodd ei holl amser yn tynnu lluniau bach a manwl o ddegau, yn wir cannoedd efallai, o wynebau bychan.

Roedd hi'n fin nos pan glywais i dincial cyfarwydd o boced fy jîns. Yr anthem genedlaethol.

Fy ffôn.

Edrychais ar y sgrin – 'Mam'. O, haleliwia! Wyddwn i ddim beth fyddai hi'n ei ddweud. Tybed oedd hi a Dad wedi sylweddoli erbyn hyn fod Math a minna wedi rhedeg i ffwrdd? Oedd rhywun wedi'n gweld ni ar y bws, efallai? Oedd Mam wedi sylwi bod y babell ar goll? Roedd gen i gymaint o ofn clywed ei hymateb, bu bron i mi beidio ag ateb y ffôn.

Ond roedd yn rhaid ateb. Mi fyddai'n sicr yn poeni os na châi hi siarad â fi.

'Haia, Mam.'

'Sut wyt ti, ngwas i?'

Ochneidiais yn dawel. Roedd hi'n hollol amlwg oddi wrth dôn ei llais nad oedd Mam yn gofidio: doedd hi ddim wedi ffonio i ddwrdio. Doedd hi ddim callach ein bod ni wedi rhedeg i ffwrdd. Swniai 'run fath yn union ag arfer.

'Iawn, diolch. Sut ydach chi?'

'Iawn. Hiraethu amdanoch chi. Oedd y siwrnai'n iawn? Ar y trên?'

'Oedd. Prysur.' Fedrwn i ddim cyfri faint o gelwyddau ro'n i wedi'u dweud yn y pedair awr ar hugain dwytha. Degau ohonyn nhw. Roedd hi'n llawer haws nag o'n i wedi'i ddychmygu. Er, roedd hi'n haws dweud celwydd wrth ddieithriaid nag oedd hi i'w rhaffu nhw wrth Mam. Gwridais mewn cywilydd a diolch nad oedd hi'n medru gweld fy mochau cochion i.

'Ydw i'n clywed y môr yn y cefndir?' gofynnodd Mam.

Feddyliais i ddim y byddai hi'n gallu clywed y tonnau'n sisial dros y ffôn. Byddai'n rhaid i mi feddwl yn gyflym.

'Ydach. 'Dan ni wedi dŵad i'r traeth.' Daria.

'Y traeth? Ydi Math yn iawn?' Daeth mymryn o banig i'w llais.

'Mae o'n iawn, Mam, yn brysur yn gwneud ei lunia a dweud y gwir.'

Do'n i ddim yn gorfod dweud celwydd am hynny, o leia. Edrychais draw at Math. Eisteddai ar garreg fawr fflat yng nghefn y traeth a'i bensil yn symud yn gyflym dros ei bapur. Roedd ei wyneb yn hollol ddiemosiwn.

'Oedd o'n ocê, Twm? Yn nhŷ Dad neithiwr?'

Cofiais am Math y noson gynt, yn gweiddi yn nüwch y

babell, ac yn eistedd yn ei byjamas ynghanol cae dan olau'r lleuad. 'Oedd, Mam. Hollol iawn.'

'Wir yr?' gofynnodd Mam mewn syndod.

'Wir yr,' atebais innau, a'r celwydd yn gwneud i mi deimlo braidd yn sâl. 'Peidiwch â phoeni amdanon ni, Mam, 'dan ni'n iawn. Mwynhewch eich hun.'

'Ga' i siarad efo Math?'

'Mae o newydd biciad i'r tŷ bach.'

'O, ocê. Wel, dwed wrtho fo mod i wedi ffonio, wnei di?'

'Wrth gwrs.'

'Mi ffonia i mewn 'chydig ddyddiau. A Twm?'

'Ia?'

'Dw i'n meddwl amdanoch chi o hyd, wsti. Dw i'n eich caru chi'ch dau.'

Mae'n siŵr eich bod chi'n meddwl mod i'n ofnadwy, Miss Jenkins. Yn dweud ffasiwn gelwydd wrth fy mam fy hunan, a hithau mor glên wrth Math a minna. Dw i'n cytuno efo chi – mae o'n ofnadwy. Ond wir i chi, ro'n i'n ei wneud o er ei mwyn hi. Efallai fod ganddi hiraeth amdanon ni rŵan, ond roedd angen y llonydd ar Mam.

A wyddoch chi be? Roedd Math fymryn yn well y noson honno. Rhedodd i ffwrdd unwaith eto ynghanol y nos, at y lôn fach y tro hwn, ac eistedd rhwng y perthi'n hymian iddo'i hun ac un o ochrau llyfn y prism yn oer ar ei foch. Ond wnaeth o ddim gweiddi fel y noson cynt, felly chafodd neb gyfle i gwyno. Fesul noson a dreuliason ni yn Aberdaron, roedd Math yn gwella'n raddol. Ar ôl y pumed noson, cysgodd Math drwy'r nos a wnaeth o ddim deffro unwaith.

Ia, pum noson. Nid camgymeriad mo hwnna. Cafodd Math a minna amser braf yn Aberdaron, yn cysgu tan amser cinio ac yn mynd i'r traeth yn y pnawn. Roedd o'n rhyfeddol o hawdd. Byddech chi'n meddwl y byddai pobol yn amheus o weld dau hogyn ifanc fel Math a minna heb gwmni oedolion cyhyd. Ond pan fyddai rhywun yn holi – y ffermwr, neu'r dyn tew o'r garafán gyfagos – ro'n i'n eu sicrhau bod Mam a Dad wedi codi'n fore, wedi mynd i gerdded, ac y bydden nhw i ffwrdd tan yn hwyr y nos.

Doedd pethau ddim yn berffaith, yn amlwg. Gwrthododd Math gael cawod, a chan ei bod hi'n dywydd mor boeth, roedd o wirioneddol angen un. Roedd ei arferion bwyta'n mynd yn rhyfeddach bob dydd, hefyd – wnâi o ddim ystyried bwyta unrhyw beth heblaw creision a siocled. Pan fyddwn i'n awgrymu rhywbeth arall iddo fel afal neu fanana, efallai, byddai'n symud ei bwysau o'r naill droed i'r llall, yn arwydd clir ei fod o'n anniddig. Ildio fyddwn i bob tro gan fod hynny'n haws na chymryd y risg o wneud iddo nadu.

Yn raddol, fodd bynnag, mi ddois i sylweddoli bod y ffermwr yn cadw llygaid barcud ar Math a minna. Byddai'n galw heibio'r babell sawl gwaith y dydd, ac ro'n i wedi'i weld o'n ein gwylio ni drwy ffenest ei dŷ ambell waith.

Roedd o'n ein hamau ni. Thalai hi ddim iddo sylweddoli i sicrwydd bod Math a minna ar ein pennau'n hunain.

Doedd dim ond un peth amdani. Byddai'n rhaid i Math a minna adael Aberdaron a symud ymlaen i rywle arall.

Pennod 7

AR ÔL GWNEUD y penderfyniad i adael Aberdaron, roedd yn rhaid i ni fwrw ati a symud cyn gynted â phosib. Wedi i mi sylweddoli bod y ffermwr yn ein gwylio, daeth hi'n amlwg nad y fo oedd yr unig un a fyddai'n cadw llygaid ar Math a minna: y dyn tew o'r garafán a helpodd ni i godi'r babell; y ddynes yn y siop; dyn y caffi ynghanol y pentref oedd yn gweini ysgytlaeth banana trwchus yr un i Math a minna bob prynhawn. Wrth edrych yn ôl, mae'n hollol naturiol eu bod nhw'n amheus, ond ar y pryd, fedrwn i ddim deall pam nad oedden nhw'n gadael llonydd i ni. Roedd Math a minna'n hapus yn Aberdaron. Ro'n i'n flin eu bod nhw'n ein gorfodi ni i symud.

Arhosais tan ddechrau'r prynhawn cyn pacio'r babell. Dyna pryd roedd y cae ar ei dawelaf, y gwersyllwyr ar y traeth neu'n siopa ym Mhwllheli neu Abersoch a'r ffermwr wrth ei waith allan ar y caeau. Ro'n i'n awyddus i ddiflannu heb i neb weld ein bod ni'n gadael.

Soniais i 'run gair wrth Math tan y bore hwnnw. Roedd arna i ofn sut byddai o'n ymateb. Roedd o wedi bod yn rhyfeddol hyd yn hyn.

"Dan ni ddim yn mynd i'r traeth y bore 'ma, Math,' meddwn wrth bacio fy mag.

'Dw i'n licio'r traeth. Dw i'n licio gwneud llun.'

'Mi gei di ddal i wneud llun, siŵr! Jest ein bod ni'n gorfod gadael Aberdaron.'

"Dan ni'n mynd adra?'

'Nac 'dan.'

'Lle 'dan ni'n mynd, 'ta?'

'Ar y bws.'

Roedd pacio'r babell yn llawer anoddach nag o'n i wedi'i feddwl. Roedd y bag mor fach, a'r babell mor fawr, a fedrwn i yn fy myw â chofio sut roedd yr holl beth yn ffitio. Er i mi lwyddo i roi'r babell ei hun 'nôl yn y bag doedd dim gobaith i mi gael y polion i mewn ynddo hefyd, felly roedd rhaid i mi bacio'r rheiny ar wahân. Wedi i mi roi popeth yn ôl yn y ddau bacpac, ro'n i wedi ymlâdd. Fedrwn i ddim dychmygu sut y byddai gen i'r nerth i godi'r babell eto, yn rhywle arall, cyn iddi nosi.

Doedd neb o gwmpas Fferm Tŷ Collen wrth i Math a minna adael, a neb yn y pebyll na'r carafanau chwaith gan ei fod yn ddiwrnod mor braf. Teimlais hen gnoi rhyfedd yn fy stumog wrth adael gan ein bod ni wedi cael amser wrth ein bodd yma.

Drwy ryfedd wyrth, roedd bws eisoes yn yr arhosfan fach ynghanol Aberdaron wrth i Math a minna nesáu, a dringodd y ddau ohonon ni arno'n syth. Hen ŵr oedd y gyrrwr, gwallt gwyn seimllyd ganddo a chroen crychiog, tywyll fel lledr.

'Dau docyn sengl, plis.'

'I le?'

'Ym...' Ystyriais yn sydyn. 'I ble dach chi'n mynd?'

Craffodd y gyrrwr arna i, a'i lygaid tywyll mewn penbleth. 'Pam y doist ti ar y bws os na wyddost ti i ble mae o'n mynd?'

Llyncais fy mhoer yn nerfus. Roedd hwn yn foi craff. 'Isio mynd am drip ydan ni. Am y dydd.'

'Wel, os mai am y diwrnod dach chi'n mynd, pam mai tocyn sengl wyt ti isio?'

Daria fo! Pam oedd yn rhaid iddo fo holi a stilio? Gyrrwr bysys oedd o, nid ditectif! 'Bydd Dad yn dod i'n nôl ni wedyn?'

'Sut fedr o ddod i'ch nôl chi os nad ydi o'n gwybod i ble dach chi'n mynd?'

'Dw i'n mynd i'w ffonio fo.'

Syllodd y gyrrwr arna i am hydoedd, cyn ochneidio ac ysgwyd ei ben. 'Os wyt ti'n dweud,' meddai wedyn, yn amlwg doedd o ddim yn coelio gair ro'n i wedi'i ddweud. 'Dw i'n mynd i Bwllheli, Cricieth a Phort.'

Do'n i ddim yn gwybod llawer am Gricieth na Phorthmadog, ond do'n i ddim am holi mwy ar y gyrrwr, felly atebais drwy ddweud, 'Port, plis.' Dwn i ddim pam y dewisais i fan'no. Am ei fod o'n haws i'w ddweud na Cricieth, beryg. Cymerodd gyrrwr y bws fy mhres a rhoi dau docyn ar gledr fy llaw. Daliai i syllu arna i'n amheus, felly heglais hi i gefn y bws, ac anelu am y sedd ôl, a Math yn dynn ar fy sodlau.

'Lle 'dan ni'n mynd?' gofynnodd Math ar ôl i ni eistedd.

'Port,' atebais wrth i'r bws ddechrau symud.

'Be sy fan'no?'

'Dim syniad.'

Roedd yn brynhawn braf, a'r olygfa ar y daith yn un hardd. Gwibiai'r bws ar hyd lonydd bach Pen Llŷn, gan gynnig golygfeydd prydferth o'r môr a'r caeau gwyrddion, gwastad. Estynnodd Math ei bapur a'i bensiliau a dechrau ar lun newydd. Do'n i erioed wedi cymryd fawr o sylw o'i luniau fo, ond doedd gen i ddim byd gwell i'w wneud heddiw. Felly, cymerais gip dros ei ysgwydd.

Dechreuodd Math yng nghornel uchaf ochr chwith y papur, gan ddarlunio llygaid bach a syllai'n ddwys arnaf o'r darn papur. Creodd drwyn a cheg, a rhoi wyneb hirgrwn o'i gwmpas. Hyd yn oed ar ôl ychwanegu gwallt a chlustiau, roedd yr wyneb yn un digon od.

'Pam nad wyt ti byth yn gwneud llunia o bobol sy'n gwenu?' gofynnais i Math cyn iddo symud ymlaen a dechrau ar wyneb arall yn ymyl yr un roedd o newydd ei greu.

'Dw i'm isio.'

'Ond pam, Math? Mae pawb yn dy lunia di'n edrych mor...'

'Gad lonydd i fi!' gwaeddodd Math, gan wylltio'n sydyn.

Edrychodd gyrrwr y bws arnon ni yn nrych y bws. Taflodd Math ei bensil a'i bapur dros y seddau a chodi ar ei draed.

''Stedda i lawr,' ysgyrnygais drwy fy nannedd. Fedrwn i ddim coelio bod Math yn gwylltio ar ôl un frawddeg fer gen i am ei luniau. A do'n i ddim wedi dweud unrhyw beth cas, o'n i?

''Stedda lawr rŵan,' bloeddiodd y gyrrwr. Arhosodd Math ar ei draed, ac ysgwyd ei ben, gan symud ei bwysau o'r naill droed i'r llall.

'Rŵan, meddwn i!'

'Cau dy geg!' sgrechiodd Math nerth esgyrn ei ben. Syllodd

y gyrrwr arno'n gegagored yn y drych, a'i wyneb crychiog yn llawn syndod. Gwthiodd Math heibio 'nghoesau i a dechrau cerdded i fyny ac i lawr y bws.

'Be ddudist ti wrtha i, y diawl bach?' gwaeddodd y gyrrwr yn gandryll. Nid atebodd Math, ond daliodd i nadu ei 'Mmm, mmm, mmm.'

'Mi dafla i chdi oddi ar y bws 'ma! Cyn gynted ag y ca' i le i stopio... Bobol annwyl! Welais i rioed hogyn mor ddigywilydd ar ôl deugain mlynedd ar y bysys...'

Ein taflu ni oddi ar y bws? Edrychais allan drwy'r ffenest. Roeddan ni ynghanol nunlle. Beth yn y byd fyddai Math a minna'n wneud yn fa'ma? Doedd gen i fawr o feddwl o'r gyrrwr. Roedd o wedi cymryd yn erbyn Math a minna o'r eiliad y gwelodd o ni, ond roedd yn rhaid i mi fynd i siarad ag o, trio rhesymu.

Codais ar fy nhraed a symud draw at Math. Cydiais yn ei ysgwyddau, ond daliai yntau i nadu.

'Sorri am dy ypsetio di. Do'n i ddim yn ei feddwl o mewn ffordd gas, sti. Dw i'n meddwl bod dy luniau di'n grêt.' Wnaeth Math ddim ymateb. 'Wnei di ista, plis?'

Er mawr syndod i mi, ufuddhaodd Math. Er ei fod yn dal i nadu, cododd ei bensil a'i bapur oddi ar lawr y bws ac ymlwybro'n ôl i'r sedd gefn. Cymerais anadl ddofn, cyn mynd i eistedd yn y sedd flaen i drio rhesymu efo'r gyrrwr.

'Dach chi'ch dau wedi'ch gwahardd rhag defnyddio'r cwmni bysys yma,' poerodd y gyrrwr cyn i mi gael cyfle i agor fy ngheg. 'Wyt ti'n dallt? Banned! 'Sgin ti syniad mor beryglus ydi tynnu sylw'r gyrrwr pan mae'r bws yn symud?'

'Sorri.'

'Ddim chdi ddylia fod yn ymddiheuro! Y llall ddaru weiddi fel rhywun sy ddim yn iawn!'

'Wel...' dechreuais, cyn cau fy ngheg yn llwyr. Doedd gen i ddim syniad sut i'w ateb.

Cymerodd y gyrrwr gip sydyn arna i, cyn troi 'nôl at y lôn a llyncu ei boer fel petai o'n sylweddoli ei fod o wedi dweud peth gwirion. 'Ym... dydi o ddim yn iawn?'

Wyddoch chi Miss Jenkins, mae 'na lawer o bethau yn y byd hwn yr ydw i'n eu casáu: llygod mawr; y pryfed cop tenau tenau yna â boliau mawr crwn sy'n byw yng nghorneli nenfwd y gegin; synau gweiddi ynghanol nos. Ond tydi 'run o'r pethau yna'n cymharu â'r casineb sydd gen i tuag at y tri gair bach yna – 'ddim yn iawn'. Dyna'r geiriau mae pobol yn eu defnyddio pan dydyn nhw ddim yn medru penderfynu beth sy'n bod ar Math, ac mae o'n gwneud iddyn nhw newid eu hagwedd tuag ato fo'n gyfan gwbl. Byddan nhw'n syllu arno fo fel petai'n rhyw anifail anarferol na welson nhw mo'i fath cyn hynny, yn gwenu'n drist fel petai o wedi torri ei goes, yn siarad yn ara deg fel petai gan Math nam ar ei glyw. Mae'n fy ngyrru i o 'ngho! Tydi o ddim yn sâl! Tydi o ddim yn dwp! Ac mae o'n iawn, waeth be ddywedith unrhyw un – Math ydi o, ac mae o'n wahanol.

Mi deimlais i 'nhymer yn dechrau berwi y tu mewn i mi cyn gynted ag y clywais i'r geiriau 'ddim yn iawn' yn dengyd o geg y gyrrwr. Be o'n i isio'i ddweud oedd, 'Yndi tad, mae Math yn berffaith iawn, diolch,' a martsio i i gefn y bws, ond fedrwn i ddim. Ro'n i angen cyrraedd Port ac felly rodd angen i mi ennill ffydd y gyrrwr. Llyncais fy mhoer a 'malchder cyn dechrau siarad.

'Tydi o ddim fel pobol eraill. Does ganddo fo ddim rheolaeth dros ei dymer.'

Nodiodd y gyrrwr cyn rhedeg ei fysedd drwy ei wallt gwyn, seimllyd. 'Fy wyres fach i, 'run fath yn union. Roeddan ni'n arfer ei gwarchod hi bob nos Wener, ond mi aeth hi'n ormod o gyfrifoldeb i ni.'

Diflannodd unrhyw deimladau cas oedd gen i tuag at y dyn yn syth. Edrychai'n hollol wahanol rŵan, yn hen ac yn drist.

'Does 'na neb yn medru gwneud efo Math, chwaith,' synfyfyriais yn uchel. 'Dim ond Mam a fi sy'n dallt sut i'w drin o. Dyna pam dw i'n mynd â fo i ffwrdd – er mwyn i Mam gael hoe fach.'

Nodiodd y gyrrwr. Meddyliais yn siŵr i mi weld sglein deigryn yn ei lygaid. 'Chwarae teg i ti, 'rhen hogyn. Wyt ti'n siŵr dy fod ti'n iawn am lifft yn ôl?'

Nodiais, fy meddwl yn rasio. 'Bydd Dad yn dod i'n nôl ni. Roedd o'n fodlon dod i rywle, jest iddo fo a Mam gael chydig o amser iddyn nhw eu hunain.'

Cymerodd y gyrrwr gip yn ei ddrych i edrych ar Math. Roedd o'n sgriblo ar ei bapur fel cath i gythraul, ei dalcen yn grychau i gyd.

Wedi i mi wneud yn siŵr nad oedd y gyrrwr am ein gadael ni ym mhellafoedd Pen Llŷn, ymlwybrais yn ôl i gefn y bws i eistedd yn ymyl Math. Wnaeth o ddim troi i edrych arna i, a phenderfynais beidio â dweud gair rhag iddo fo ddechrau nadu.

Roedd y celwyddau'n dod mor hawdd, meddyliwn wrth wylio cefn gwlad Pen Llŷn yn gwibio heibio. Ro'n i wedi dweud digon o gelwyddau ers i mi adael Caernarfon i sicrhau y byddwn i'n teimlo'n euog am gyfnod maith. Ond i be yr awn i i feddwl am hynny rŵan? Roedd gen i wythnosau o hyn, a channoedd mwy o gelwyddau i'w hadrodd yr haf yma. Roedd yn rhaid i mi ddweud celwydd, doedd? Doedd gen i ddim dewis, a beth bynnag, gwneud hynny i warchod Math o'n i.

Ar ôl tawelwch llethol Pen Llŷn, roedd Porthmadog ar brynhawn braf o haf yn dipyn o sioc i'r system. Gorlifai'r palmentydd â phobol leol ac ymwelwyr o bob lliw a llun, a byrlymai'r strydoedd o sŵn ceir a chlebran.

Dechreuais deimlo'n nerfus yn syth bìn. Dyma'r union awyrgylch a wnâi i Math ddechrau nadu. Roedd o wedi cael un cyfnod digon anodd ar y bws gynnau. Ro'n i am wneud yn siŵr na fyddai hynny'n digwydd eto.

'Awn ni am ginio?' gofynnais, gan ddefnyddio fy llais mwya hwyliog. 'Mae'n siŵr bod 'na siop tsips yma'n rhywle.' Mae Math wrth ei fodd efo sglodion, ac wrth addo rhai iddo, roedd gen i siawns go lew o osgoi rhag i'w dymer ffrwydrad arall.

Wrth gerdded ar hyd y stryd, roedd yn rhaid i Math a minna gamu o un ochr i'r llall er mwyn osgoi'r llif o bobol a ddeuai ar draws ein llwybrau ni. Edrychai'r siopau'n ddigon deniadol, ond mae'n rhaid i mi gyfaddef nad o'n i'n hoff iawn o ganol tref Porthmadog. Roedd rhu'r traffig yn gwneud i 'nghalon i guro'n wyllt o dan fy nghrys.

Wedi aros ein tro am hydoedd mewn siop tsips fechan, a thalu'r ddynes ifanc flinedig yr olwg, croesodd Math a minna'r ffordd wrth y groesfan a cherdded ar hyd y stryd. Edrychai fymryn yn dawelach yn fan'no, ac ro'n i am gael ychydig o heddwch i fwyta fy sglodion a sosej, a meddwl ble yn y byd y byddai rhywun yn mynd ati i ddod o hyd i le i wersylla mewn tref mor brysur.

'Dw i isio bwyd,' datganodd Math yn ddigon uchel i ambell berson droi i edrych arno. Gallwn ddweud oddi wrth dôn ei lais fod Math bron â chyrraedd pen ei dennyn a chododd fy nghalon i'm llwnc.

'Mi gei di fwyd mewn munud,' atebais yn rhesymol. Gallwn arogli'r sglodion yn y bag plastig glas yn fy llaw, ac roeddan nhw'n tynnu dŵr o 'nannedd inna hefyd, ond roedd unrhyw chwant am fwyd wedi'i fygu gan fy ofn y byddai Math yn dechrau nadu. 'Dw i'n siŵr y bydd yna le braf i fyny ffordd 'ma, yna gallwn ni eistedd i gael ein bwyd.'

'Mae lle braf yn fan'na!' pwyntiodd Math heibio'r safle bysiau.

'Gawn ni ddim ista fan'na, Math. Lawnt fowlio ydi hi.'

Stopiodd Math yn stond a throi i fy wynebu i. Agorodd ei geg led y pen a dechra gweiddi'n uchel.

'Shysh, Math,' crefais, gan deimlo'r gwrid yn lledu dros fy ngwddf a'm hwyneb. Trodd degau o bobol, rhai ar ochr arall y stryd, i'n gwylio. 'Plis, Math. Mae pawb yn sbio.'

Gwaeddodd Math yn uwch, gan daflu ei wyneb i'r awyr ac udo fel anifail.

Pasiodd hen gwpwl oedrannus heibio y tu ôl iddo, gan ysgwyd eu pennau a syllu ar Math a minna fel petaen ni'n faw isa'r domen. Stopiodd criw o hogiau tua 'run oed â fi i bwyntio a chwerthin.

'Ocê, Math.' Codais y bag plastig glas a'i chwifio o flaen ei wyneb. 'Mi gei di dy tsips.'

Rhoddodd Math y gorau i weiddi'n syth ac edrych ar y bag bwyd fel petai wedi'i swyno.

'Rŵan!' cyfarthodd fel petai o'n swyddog yn y fyddin.

Felly, yng nghanol y stryd ym Mhorthmadog, safodd Math a minna'n bwyta sglodion a selsig fel pe na bai dim wedi digwydd. Ro'n i'n dal i grynu'n nerfus, ond sglaffiodd Math ei ginio'n fodlon iawn, fel pe na bai dim byd yn bod.

Wedi i ni orffen bwyta, cerddodd Math a minna i dop y dref, a dod o hyd i'r harbwr bach tlysaf erioed. Doedd hi ddim mor brysur yma, chwaith, a chynigiai'r meinciau pren ddigon o le i ni eistedd. Ro'n i'n falch o gael rhoi'r bag a gariwn ar fy nghefn i lawr am ychydig. Roedd o'n drwm ac yn gwneud i mi chwysu.

'Ro'n i wedi meddwl y bydda fa'ma yn lle neis i ni gael ein cinio,' dechreuais ar ôl i ni eistedd mewn tawelwch am ychydig.

'O'n i'n llwgu.'

'Pam na faset ti jest wedi dweud 'ta, yn lle gwneud hen ffws gwirion fel y gwnest ti? Roedd pawb yn syllu!'

'Mi wnes i ddweud, ond doeddet ti ddim yn gwrando.'

Byddwn i wedi gallu dadlau am hynny ond gallwn glywed min digon diamynedd yn llais Math, felly wnes i ddim.

Lle hyfryd ydi harbwr Porthmadog, ac am ychydig gwyliodd Math a minna wrth i'r byd wibio heibio. Roedd cychod mawr a bach yno, rhai'n wyn sgleiniog ac eraill yn hen a'r paent yn plicio oddi arnynt. Adeiladwyd yr holl dai cyfagos o gerrig llwyd hyfryd, ac âi llawer o bobol am dro hamddenol o gwmpas y lle, ambell un yn gwthio pram, tra bod eraill yn arwain ci ar dennyn.

Meddyliais am Mam. Mi fyddai hi wrth ei bodd yma. Daeth poen annisgwyl fel cyllell i'm stumog, a cheisiais gael gwared ar y darlun o'm meddwl. Wnes i ddim llwyddo'n gyfan gwbl, ac roedd meddwl amdani'n gwneud i mi deimlo'n euog am redeg i ffwrdd fel y gwnes i.

'Mi faswn i'n hoffi cwch,' meddai Math yn sydyn, gan fy synnu braidd. Doedd o byth yn dangos fawr o ddiddordeb mewn pethau felly, a phrin y byddai'n siarad heblaw mewn ymateb i rywun arall.

'Wir?'

Nodiodd Math. 'Mi awn i â fo i ganol y môr.'

A-ha. Roedd hynny'n esbonio'r cyfan. Wrth gwrs, mi fyddai Math yn cael modd i fyw ynghanol y môr, neb arall o'i gwmpas a dim byd ond y môr i'w weld i bob cyfeiriad.

'Gwell i ni fynd,' meddwn, gan godi. 'Mae'n rhaid i ni chwilio am rywle i godi'r babell.'

'Roedd Aberdaron yn braf, 'yn doedd,' synfyfyriodd Math, gan fy synnu am yr eildro o fewn ychydig funudau.

'Oedd,' cytunais yn dawel, cyn tynnu'r bag mawr trwm yn ôl ar fy nghefn.

Tydi hi ddim yn hawdd byw efo rhywun fel Math. Mae'n siŵr eich bod chi'n meddwl mod i'n rhyfedd, yn synnu cymaint wrth glywed dau sylw mor ddi-nod gan fy mrawd, ond dyna'r peth, tydi Math byth yn gwneud sylwadau di-nod. Fydd o byth yn siarad pan na fydd rhaid iddo. Dw i'n meddwl mai nefoedd i Math fyddai cael bod ar ei ben ei hun, dim ond fo, pensil a phapur a bagiad o tsips.

Ychydig wythnosau cyn i Dad gymryd y goes a'i heglu hi am Gaerdydd, aeth y pedwar ohonon ni – Mam, Dad, Math a minna – am dro. Aethon ni i barc mewn coedwig, lle braf ychydig filltiroedd o Gaernarfon, lle mae llwybrau tlws, a pharc, siop a chaffi. Paratodd Mam bicnic, gan gadw mewn cof yr holl bethau y gwrthodai Math eu bwyta. Roedd yn ddiwrnod o hydref, yn oer ond yn glir, a'r dail ar y coed yn dechrau gwrido.

Ddigwyddodd dim byd ofnadwy'r diwrnod hwnnw – dim nadu, dim cwyno, dim sgrechian na chrio. Cawsom gyfle i fwyta ein picnic ar lan yr afon a gweld gwiwerod yn hel mes wrth i ni agor ein fflasg o siocled poeth. Daethom o hyd i gasgliad prydferth o flodau anarferol, a'r rheiny'n blodeuo'n hwyr. Roedd o'n ddiwrnod hyfryd, perffaith. Diwrnod a'n blinodd ni ond a'n gwnaeth ni'n hapus ac yn fodlon ein byd erbyn i ni gyrraedd y car i fynd adref ar ddiwedd y pnawn.

Wel. Pawb, hynny yw, heblaw am Dad.

Un gwael am guddio'i deimladau ydi o, ac wrth i ni dynnu'n welingtons a'n cotiau a'u pacio nhw yng nghist y car roedd hi'n hollol amlwg fod Dad mewn tymer ofnadwy. Ochneidiai'n uchel dro ar ôl tro a thaflodd ei esgidiau cerdded i mewn i'r car. Wedi i ni i gyd eistedd yn y car, taniodd Dad yr injan a chychwyn am adref ar frys.

'Paid gyrru mor wyllt,' meddai Mam yn dawel bach. 'Dim â'r hogiau yn y car.'

'Tydw i ddim!' ysgyrnygodd Dad yn flin. Bydd o'n gyrru'n

gyflym bob tro y bydd wedi gwylltio. Ceisiais feddwl tybed beth oedd wedi'i wylltio, ond fedrwn i ddim gan fod popeth ddigwyddodd yn ystod y dydd wedi bod mor hyfryd tan rŵan.

Wedi iddo barcio'r car y tu allan i'n tŷ ni, diffoddodd yr injan, datod ei wregys diogelwch, a throi 'nôl i wynebu Math a minna yn y sedd gefn.

'Hywel,' rhybuddiodd Mam, ond cael ei hanwybyddu wnaeth hi.

'Ydach chi wedi cael diwrnod neis, hogiau?' gofynnodd Dad a gwên od ar ei wyneb.

'Ydan,' atebais yn ansicr. Er bod Dad yn gwenu, roedd 'na olwg flin ofnadwy yn ei lygaid.

'A ti, Math?' gofynnodd Dad. 'Wyt ti wedi cael diwrnod neis?'

'Do.'

Ochneidiodd Dad. Roedd Math yn amlwg wedi gwneud rhywbeth o'i le.

'Pam na wnei di wenu, 'ta?' gofynnodd Dad, ei wên yn diflannu a fflach fwy peryglus bellach yn ei lygaid. 'Neu chwerthin? Neu redeg o gwmpas, fel roedd Twm yn ei wneud yn y parc?'

'Hogyn bach ydi o,' meddai Mam. 'Gad lonydd iddo fo.'

'Na wnaf! Dw i 'di cael llond bol ar drio gwneud 'y ngorau i'r teulu yma, mynd â chi i lefydd neis a jest pan dw i'n meddwl ein bod ni'n mwynhau, 'dan ni'n cael cip ar wyneb surbwch hwn yn syllu i ganol nunlle.'

Neidiodd Mam o'r car a mynd ati'n syth i helpu Math

ddod o'r car. Wrth iddi gerdded rownd cefn y car i fy nôl i, daliais lygaid Dad yn y drych. Doedd 'na ddim euogrwydd yn ei lygaid, dim arwydd ei fod o'n edifar am yr hyn roedd o newydd ei ddweud wrth ei fab.

Yswn am allu gweiddi, 'Dw i'n eich casáu chi!' arno fo... Wedi'r cyfan, fo oedd wedi sbwylio'r diwrnod, nid Math. A dweud y gwir, crynai pob rhan o 'nghorff ac ro'n i'n dyheu am gyfle i ddechrau sgrechian arno fo nerth esgyrn fy mhen, a dweud be o'n i'n ei feddwl ohono.

Ond wnes i ddim byd, dim ond dringo allan o'r car, cau'r drws y tu ôl i mi, a throi 'nghefn arno cyn i'r car sgrialu oddi yno. Arhosodd Dad i ffwrdd drwy'r nos y noson honno, cyn dod yn ôl am ei ginio'r pnawn wedyn, yn gwenu ar bawb fel pe na bai dim wedi digwydd.

Fel mae'n digwydd, roedd hi'n ddipyn haws dod o hyd i le i wersylla ym Mhorthmadog nag yn Aberdaron. Y cyfan wnes i oedd dilyn mynegbost bach gwyn o ganol y dref – 'Campsite, ½ a mile'. A chyn hir, roeddan ni'n sefyll ar lôn dawel yn edrych ar gae a'i lond o bebyll, fel madarch. Yng nghanol y cae roedd criw o blant bach yn cael gêm o rownderi. Roedd o'n wahanol iawn i'r lle y buon ni'n aros ym Mhen Llŷn. Roedd golygfeydd fan'no wedi bod mor anhygoel, ond teimlai'r fan hyn yn fwy cysgodol, ac roedd rhywbeth hudol am y goedlan fach ar un ochr i'r cae.

'Neis, tydi?'

Nid atebodd Math, ond gwyliodd y gêm rownderi efo diddordeb.

Roedd bwthyn bach tlws ar gyrion y cae, a'r geiriau 'Cae

Madog' wedi'u peintio'n daclus ar lechen yn ymyl y drws. Dechreuais deimlo'n nerfus wrth ganu'r gloch. Gwyddwn o brofiad fod gwersylla heb oedolion yn gallu creu problemau. Efallai na fyddai perchnogion Cae Madog mor barod i goelio fy nghelwydd â pherchennog Fferm Tŷ Collen.

Fel roedd hi'n digwydd, doedd dim raid i mi fod wedi pryderu. Dynes ifanc agorodd y drws, dynes flinedig yr olwg a babi bach mewn clwt yn ei breichiau. Roedd bachgen bach arall wrth ei thraed, yntau'n gwisgo dim byd ond crys-T budr, ac roedd llinyn hir o lysnafedd gwyrdd yn gorlifo o'i drwyn.

'Ia?' gofynnodd y ddynes, fel na phetai ganddi unrhyw ddiddordeb i'm gweld.

'Chwilio am le i godi'r babell...'

'Saith bunt y noson. Talwch pan fyddwch chi'n gadael. Ylwch, ma' rhaid i mi dendio'r plant 'ma. Dach chi'n meindio dŵad yn ôl wedyn os byddwch chi angen rhwbath arall?'

'Dim o gwbl.' Cynigiais wên fach iddi. Gwenodd hithau 'nôl yn wan, cyn cau'r drws yn glep. Gallwn glywed y babi'n dechrau sgrechian.

Mi fyddech chi'n meddwl, yn byddech Miss Jenkins, fod rhedeg i ffwrdd yn beth eitha anodd i ddau hogyn ifanc fel Math a minna. Efallai, o adnabod Math, y byddech chi'n taeru bod y ffasiwn beth yn amhosibl. Hogyn 'ddim yn iawn', fel maen nhw'n dweud, mewn lle dieithr, ymhell o adref. Ond roeddan ni wedi llwyddo, hyd yn hyn, a doedd neb wedi ein colli ni.

Wyddoch chi'r teimlad yna sydd yn yr aer cyn storm? Y cynhesrwydd tamp, clòs yn yr awyr, sy'n golygu bod mellt a tharanau ar droed? Wel, mae'r un peth yn wir am Math. Os ydach chi'n ei nabod o'n ddigon da, rydach chi'n dod i adnabod yr arwyddion pan fydd o ar fin ffrwydro. Y diwrnod hwnnw pan gyrhaeddodd Math a minna Borthmadog, mi ges ambell un o'r arwyddion hynny. Y ffaith iddo weiddi yng nghanol y stryd fel rhywun oedd ddim yn gall, ei archwaeth annynol am fwyd, y ffaith iddo ddringo i mewn i'w sach cysgu cyn gynted ag y codais i'r babell a chysgu'n drwm, drwm drwy sŵn y gêm rownderi gyfagos. Byddai Math yn siŵr o ffrwydro cyn bo hir. Mater o amser oedd o, ac aros a phryderu fyddai rhaid.

Ceisiais innau fynd i gysgu'n gynnar hefyd, ond roedd rhywbeth yn fy mhoeni i. Cofiais yn sydyn wrth frwsio fy nannedd mod i wedi anghofio gwneud rhywbeth, a theimlwn i'n euog ofnadwy.

Do'n i ddim wedi talu perchennog y cae yn Aberdaron.

Nid mod i wedi gadael yn fwriadol heb dalu: wedi anghofio o'n i, dyna i gyd. Ond dychmygwn y byddai'r ffermwr yn meddwl ein bod ni wedi'i heglu hi heb ystyried talu. Dychmygwn ei weld yn troi at ei wraig, gan ysgwyd ei ben yn siomedig: 'Roedd yr hogyn hyna'n ymddangos fel hen hogyn iawn.' Do'n i ddim am i unrhyw un feddwl mod i'n lleidr.

Ychydig a wyddwn i ar y pryd, ond drannoeth, byddai gen i lawer mwy i boeni amdano na 'nyledion yn ôl ym Mhen Llŷn.

Dylyfais fy ngên ac ymestyn fy mreichiau a 'nghoesau yn araf yn fy sach gysgu. Agorais fy llygaid yn raddol. Roedd hi'n olau y tu allan i'r babell, a'r adar bach wedi dechrau trydar. Cymerais gip draw at ochr Math o'r babell i weld a oedd o'n dal i gysgu. Eisteddais i fyny'n sydyn ac edrych o 'nghwmpas yn wyllt.

Roedd Math wedi diflannu.

O fewn deng eiliad, ro'n i wedi gwisgo fy jîns a'm jympar, ac wedi tynnu fy nhrenyrs am fy nhraed. Ceisiais fy nghysuro fy hun drwy feddwl mai wedi piciad i'r tŷ bach roedd o, neu wedi mynd am dro. Ond roedd rhywbeth sinistr a dychrynllyd iawn am y ffordd roedd ceg y babell wedi'i hagor, a honno'n dawnsio'n fwyn yn yr awel.

Roedd y gwersyll fel y bedd. Dim sôn am Math yn unman. Rhedais i'r bloc tai bach, ond na, doedd o ddim yno.

O, bobol bach. Sgrialodd fy meddwl yn sydyn, mor sydyn fel na allwn i ganolbwyntio ar unrhyw beth yn iawn. O, na. O, na. Roedd o wedi diflannu.

Heb syniad yn y byd i ble ro'n i'n mynd, dechreuais redeg nerth fy nhraed. Roedd yn rhaid i mi ddod o hyd iddo fo. Hen syniad gwirion oedd rhedeg i ffwrdd efo Math yn y lle cynta: twyllo fy hun o'n i wrth wylltio efo pobol am ddweud bod Math 'ddim yn iawn'. Roeddan nhw yn llygaid eu lle – *doedd o ddim yn iawn*. Yn sicr ddigon, ro'n i wedi profi ei fod o'n ormod i mi. Fedrwn i ddim gofalu amdano.

Ymhen dim, ro'n i ym Mhorthmadog, fy nghalon yn curo'n gyflym a'm hanadl yn fyr. Roedd hi'n gynnar, chwarter wedi wyth y bore, ond roedd 'na geir dirifedi ar y lôn – pobol yn mynd i'w gwaith, mae'n siŵr. Stopiais am eiliad i gael fy ngwynt ataf a thrio meddwl yn gall beth i'w wneud. Doedd dim arwydd bod Math wedi dod i gyfeiriad y dref o gwbl. Efallai ei fod o wedi mynd ar hyd y lôn heibio i Gae Madog. Efallai ei fod o wedi mynd i grwydro'r caeau, fel y gwnaeth o ganol nos yn Aberdaron.

Ond roedd yn rhaid i mi ddechrau chwilio yn rhywle, felly waeth i mi ddechrau ym Mhorthmadog ddim. Rhuthrais tuag at y siopau a cheisio penderfynu ble i droi.

Wir i chi, wyddwn i ddim fod Porthmadog yn dre mor fawr. Ar ôl crwydro'r strydoedd prysura, rhaid oedd chwilio'r lonydd bach tawel, y strydoedd, y parciau a'r llwybrau cerdded. Roedd ansicrwydd yn fy lladd wrth i mi benderfynu troi 'nôl a dechrau chwilio yn rhywle arall. Efallai fod Math wedi crwydro am filltiroedd ar hyd y lôn i Dremadog, neu'r lôn i Gricieth, neu i Ddolgellau. Doedd gen i ddim syniad.

Ar ôl cerdded ar hyd pob stryd yn y dre, dechreuais grwydro i mewn i'r siopau. Roedd hi'n ganol bore erbyn hyn, a'r stryd wedi prysuro wrth i mi ruthro o siop i siop, edrych o'm cwmpas, a gadael heb edrych beth oedd ar werth. Doedd dim mymryn o ots gen i fod rhai'n sbio'n wirion arna i. Dod o hyd i Math oedd yr unig beth o bwys.

Wrth i mi ddod i ben y stryd, fel ro'n i'n gadael y siop lyfrau, clywais dincial cyfarwydd alaw 'Hen Wlad fy Nhadau'.

Fy ffôn.

Estynnais amdani o'm poced a gweld y gair 'Mam' yn goleuo'r sgrin.

Dyna ni, 'ta, meddyliais yn sobr. Mae Math yn amlwg wedi dal y bws adref, ac mae Mam yn ffonio i ddweud y drefn wrtha i am ei herwgipio fo. Mi fydd hi'n gandryll. Falla y bydd hi'n dweud wrtha i nad oes croeso i mi yng Nghaernarfon mwyach, ar ôl i mi wneud rhywbeth mor ofnadwy. Falla byddai hi'n fy anfon i fyw at Dad, hyd yn oed.

Roedd yn rhaid ateb y ffôn, beth bynnag. Er cymaint ro'n i'n ofni clywed ei llais hi'n dwrdio, mi fyddai'n rhyddhad clywed bod Math adref yn saff; mi fyddai'n braf peidio gorfod poeni amdano mwyach.

Pwysais y botwm gwyrdd, ac aros i'r gweiddi ddechrau.

'Twm? Wyt ti yna, 'ngwas i?'

Ochneidiais. 'Yndw. Ydach chi'n iawn, Mam?'

'Yndw, tad! Ew, mae'n braf clywed dy lais di!' Gallwn glywed y wên yn ei llais. 'Ydach chi'n iawn? Ydi Math yn bihafio?'

Doedd Math ddim wedi mynd adref, 'te. ''Dan ni'n iawn, Mam. Mae Math yn ocê.'

Os nad oedd Math wedi mynd adref, golygai hynny ei fod o'n dal i grwydro ar ei ben ei hun yn Duw-a-ŵyr ble. Allai o ddim edrych ar ôl ei hun. Be yn y byd wnawn i? Ro'n i wedi edrych ym mhobman fedrwn i yn y dre...

'Twm? Wyt ti'n siŵr dy fod ti'n iawn?'

'Yndw, siŵr! Pam na fyswn i?' Hyd yn oed i 'nghlustiau i fy hun, swniai fy llais yn ddieithr ac yn od.

'Dwn i'm. Dwyt ti'm yn swnio fel ti dy hun, rywsut.'

Chwarddais yn ffug. 'Wel, yndw siŵr! Jest ein bod ni'n brysur, dyna i gyd, Mam... Dw i'n trio gwneud mwy nag un peth ar unwaith...'

'Lle ydach chi?'

'Yn siopa.'

'Wir?' gofynnodd Mam yn anghrediniol. 'Efo Math? Mae o'n siopa yng Nghaerdydd a tydi o ddim yn nadu?'

Daria. Doedd hynny ddim yn swnio fel Math o gwbl. 'Wedi dod i brynu pensiliau a phapur iddo fo ydan ni.'

'Ga' i air efo fo?'

'Mae o'n brysur, Mam, yn dewis ei bapur.'

'Jest am eiliad. Tydw i ddim wedi siarad efo fo ers i chi adael. Mae o wastad yn y gawod neu'n rhy brysur yn gwneud rhywbeth...'

'Ond, Mam...'

'Rho fo ar y ffôn, Twm.' Roedd tôn llais Mam yn ddigon pendant i wneud i mi sylweddoli nad chwarae oedd hi. Mwmialais, 'Rhoswch funud' i mewn i'r ffôn, cyn gorchuddio'r gwaelod â fy llaw fel nad oedd hi'n medru clywed.

Daria. Be o'n i i fod i'w wneud rŵan? Ystyriais drio dynwared llais Math ar y ffôn, ond gwyddwn y byddai Mam yn synhwyro'n syth mai fi oedd yno. Un gwael am ddynwared o'n i.

Haleliwia. Roedd heddiw'n mynd o ddrwg i waeth.

Codais y ffôn yn ôl at fy nghlust. 'Sorri, Mam, mae Math yn deud ei fod o'n brysur. Mi driais ei berswadio fo, ond mae o'n dechrau edrych yn flin, a dw i ofni y bydd o'n dechrau nadu os bydda i'n gwneud iddo ddod i siarad â chi.'

'Wir?' holodd Mam yn dawel. 'Tydi o ddim isio siarad efo fi?' Ro'n i wedi'i brifo hi.

'Dw i'n siŵr y bydd o'n iawn wedyn. Mi ga' i o i'ch ffonio chi 'nôl.'

'Ddim os nad ydi o isio gwneud.'

'Dw i'n siŵr y bydd o. Peidiwch â phoeni.'

'Dw i'n hiraethu amdanoch chi, hogia.'

Daeth hynny â lwmp mawr i'm llwnc i. Meddyliais am Mam, adref ar ei phen ei hun, a pha mor ofalus oedd hi o Math a minna. Mor gynnes ac annwyl oedd ei choflaid. Roedd gen innau hiraeth amdani hi hefyd, digon i roi poen yn fy mol.

'Rhaid i mi fynd, Mam,' – cyn i mi ddechrau crio ynghanol y stryd fel babi blwydd.

'Siarada i efo ti eto, yr aur.'

'Cymerwch ofal, Mam. Ta-ra.'

Ar ôl rhoi'r ffôn yn ôl yn fy mhoced, crwydrais at yr harbwr lle bu Math a minna'r diwrnod cynt. Ro'n i wedi ymlâdd ar ôl yr holl redeg, yr holl frysio, a'r holl boeni. Eisteddais ar un o'r meinciau. Roedd fy nghrys-T yn glynu'n wlyb wrth fy nghroen ac, am y tro cynta, sylwais mor glòs oedd hi – yr awyr yn frown-lwyd hyll a'r awel yn gynnes. Roedd hi'n argoeli ei bod hi ar fin tywallt y glaw. Perffaith, meddyliais. Allai pethau fod yn waeth?

Ceisiais benderfynu beth i'w wneud nesaf. Ffonio Mam yn ôl, cyfadde'r cyfan iddi? Ffonio'r heddlu a chael help llaw i chwilio am Math?

Yn y diwedd, gwneud dim byd wnes i, dim ond eistedd ar y fainc yn gwylio'r byd yn mynd heibio, yn synfyfyrio am y tro diwetha i Math fynd ar goll.

Roedd hynny bron i bedair blynedd yn ôl bellach, ynghanol mis Tachwedd du. Ro'n i newydd ddechrau ar fy mlwyddyn olaf yn yr ysgol gynradd, a Math ym Mlwyddyn Tri. Gan ei bod hi'n ysgol fawr, doedd dim rhaid i mi rannu dosbarth efo Math, ond doedd hynny ddim yn golygu nad o'n i'n teimlo'n gyfrifol drosto. Bob amser chwarae ac amser cinio mi fyddwn i'n treulio f'amser yn gwneud yn siŵr nad oedd Math yn cael ei adael ar ei ben ei hun.

Dw i'n cofio'r diwrnod hwnnw fel petai'n ddoe. Roedd Math wedi gwrthod ei ginio – sbageti bolonês – ac er nad oedd o wedi nadu, gallwn weld yr arwyddion cyfarwydd i gyd – roedd peryg i Math golli'i dymer.

Beth bynnag, ro'n i'n brysur yn fy nosbarth ym Mlwyddyn Chwech y prynhawn hwnnw, yn trio gwneud rhannu hir, ac yn cnoi fy mhensil. Do'n i ddim yn dda iawn mewn Mathemateg a tydw i fawr gwell rŵan, a dweud y gwir. Y prynhawn hwnnw fedrwn i ddim dod o hyd i'r atebion i'r syms. Dechreuodd fy mhen frifo ar ôl yr holl waith meddwl.

Daeth cnoc sydyn ar y drws, a galwodd Miss Davies, 'Dewch i mewn!' yn reit sionc. Edrychodd pawb i fyny o'u gwaith a gweld Mr Humphreys, y prifathro, yn dod i mewn.

'Ddrwg gen i mod i'n styrbio'r wers,' meddai'n dawel. 'Ga' i air, Miss Davies?'

Edrychodd pawb ar ei gilydd. Roedd Mr Humphreys yn dipyn o dynnwr coes, a fyddai o byth yn dod i mewn i'r dosbarth heb wneud rhyw fath o jôc. Yr wythnos cynt, roedd wedi dod i mewn ynghanol prawf sillafu i holi Miss Davies am rywbeth neu'i gilydd, ac wrth ddod i mewn dywedodd, 'Sorri am styrbio, ond rydych chi'n edrych fel tasech chi'n canolbwyntio'n rhy galed, ac ro'n i'n meddwl y byddai'n well i mi alw heibio cyn i'ch pennau chi ffrwydro. Dw i ddim yn siŵr a fyddai'r glanhawyr yn fodlon llnau'r holl frêns oddi ar y waliau.'

Roedd cael Mr Humphreys yn styrbio gwers heb wneud jôc yn golygu un peth.

Roedd rhywbeth o'i le.

Gwyliais wrth i Mr Humphreys siarad yn dawel yng nghlust Miss Davies, a gwelais y sioc ar ei hwyneb pan glywodd beth roedd ganddo i'w ddweud. Gwyliais wrth i'w llygaid grwydro'r ystafell, a rhewais yn fy nghadair pan drodd ei llygaid ata i.

Doedd dim dwywaith amdani. Roeddan nhw'n siarad amdana i.

'Twm, ddoi di efo fi, os gweli di'n dda?' gofynnodd Mr Humphreys, a throdd y disgyblion i edrych arna i. Ceisiodd Mr Humphreys edrych yn ddi-hid, ond gallwn weld yn ei lygaid ei fod o'n poeni'n arw am rywbeth.

Ar ôl i ni adael y dosbarth, trodd Mr Humphreys ata i gan ddweud, 'Twm. Mae 'na rywbeth wedi digwydd.'

Dyfalais yn syth mai rhywbeth i'w wneud efo Math oedd yn poeni Mr Humphreys. Yr unig gwestiwn oedd yn fy ngofidio i oedd be'n union roedd Math wedi'i wneud, a pha mor ddifrifol oedd o.

'Ydi o wedi brifo?' gofynnais yn betrus.

'Be?' holodd Mr Humphreys yn syn. 'Pwy?'

'Math.'

Crychodd Mr Humphreys ei dalcen mewn penbleth. 'Sut roeddet ti'n gwybod mod i isio sôn am dy frawd?'

Codais fy ysgwyddau, yn ansicr. Sut medrwn i ddweud wrth Mr Humphreys fod popeth a âi o'i le yn ein tŷ ni'n gysylltiedig efo Math – pob problem, pob argyfwng?

'Y peth ydi, Twm... Tydan ni ddim yn hollol siŵr i ble'r aeth o.'

'Be?' gofynnais yn syn.

'Mae'n amlwg ei fod o wedi gadael gweddill ei ddosbarth rhwng y stafell gotiau a'r dosbarth. Tydan ni ddim yn siŵr i ble mae o wedi mynd, ac... wel... roeddan ni'n gobeithio y byddai gen ti syniad ble i'w ffindio fo.'

Syllais yn gegrwth ar fy mhrifathro. Do'n i ddim yn trio bod yn ddigywilydd, ond fedrwn i ddim coelio bod yr ysgol wedi bod mor ddiofal efo 'mrawd.

'Dach chi wedi colli Math?' holais mewn anghrediniaeth. 'Saith oed ydi o!'

'Fyddwn i ddim yn mynd mor bell â hynny,' atebodd Mr Humphreys, gan redeg ei fysedd trwy ei wallt brith yn nerfus.

'Ydach chi wedi ffonio Mam?' Dechreuais deimlo 'nghalon yn curo fel gordd o dan fy ngwisg ysgol. Beth petai rhywbeth wedi digwydd i Math? Beth petai o wedi rhedeg allan o'r ysgol, wedi cael ei daro gan gar, neu beth petai o wedi mynd i lawr i'r cei yn y dre, ac wedi cwympo i mewn i'r dŵr?

'Tydw i ddim am ddychryn dy fam druan...'

'Mi wna i ei ffonio hi, 'ta.'

'Na, na,' meddai Mr Humphreys yn gyflym. 'Os ei di i sbio o amgylch yr ysgol, mi wna i ffonio dy fam.'

Edrychais ym mhob man – y llyfrgell, y tu ôl i'r llenni mawr yn y neuadd, yn nhoiledau'r merched hyd yn oed.

Doedd dim arlliw o Math. Erbyn i mi fynd yn ôl i swyddfa Mr Humphreys, roedd Mam wedi cyrraedd. Mi allwn ei chlywed hi'n dwrdio o ben arall y coridor.

'... yn meddwl eich bod chi'n rhywun! Ond allwch chi ddim edrych ar ôl fy hogyn bach i, allwch chi?'

'Mae'n wir ddrwg gen i, ond fel y dwedais i...'

'Pam dydach chi ddim wedi ffonio'r heddlu?' Gallwn glywed y dagrau yn ei llais. 'Falla fod fy mabi i'n crwydro'r dre, ar goll ac mewn peryg...'

Cnociais ar y drws yn ysgafn, a'i wthio'n agored. Do'n i ddim am glywed mwy ar y sgwrs yma.

'Twm!' Rhuthrodd Mam draw ata i, a bu bron iddi fy mygu yn ei breichiau. 'O, Twm bach!'

'Mae'n iawn, Mam,' meddwn i, gan dynnu fy hun oddi wrthi. 'Mi ddown ni o hyd iddo fo.'

'Ti'n iawn yn fan'na,' atebodd yn gadarn, gan sythu ei chefn ac wynebu Mr Humphreys. 'Achos mae'r prifathro ar fin ffonio'r heddlu a mynnu bod pob un copar yn y dre 'ma'n chwilio amdano fo.'

Fi ddaeth o hyd i Math yn y diwedd. Wel, fi a PC Simon Jones, dyn ifanc a gymrodd fi o ddifri pan ddywedais fod gen i syniad ble i chwilio am Math. Aeth â fi bob cam i Barc Coed Helen yng nghar yr heddlu, a gwenodd arna i pan welson ni draed Math yn sticio allan o'r twnnel yng nghanol y cae chwarae.

'Dylet ti fod yn blismon,' meddai PC Jones wrtha i'n siriol. 'Rŵan, cer at dy frawd tra bydda i'n gadael i dy fam wybod ei fod o'n fyw ac yn iach.' Ar hynny, dechreuodd siarad i mewn i'r teclyn sgwrsio bach plastig oedd ganddo ym mhoced brest ei siaced.

Gorweddai Math yn y twnnel, yn sbio ar y to brown uwch ei ben. Trodd ei ben i edrych arna i.

'Welis i lygoden fawr ar lan y môr. Roedd hi'n bwyta hen frechdan roedd rhywun wedi'i lluchio.'

Ochneidiais, a gorwedd yn ymyl Math. Roedd hi'n hydoedd ers i ni fod ym Mharc Coed Helen. Dad fyddai'n arfer dod â ni yma. Fuodd gan Math erioed ddiddordeb yn y siglenni, na'r llithren, na'r si-so chwaith, ond gwirionai ar y twnnel bach di-ddim, a'r eco rhyfedd a wnâi ei lais oddi mewn iddo.

'Mae pawb wedi bod yn chwilio amdanat ti,' meddwn i wrth Math.

'Pam?'

'Achos mi rwyt ti i fod yn yr ysgol. Mae Mam wedi gorfod dod o'i gwaith, ac mae plismyn dros y dre'n chwilio amdanat ti.'

'O.'

Doedd hi ddim yn ymddangos fel petai llawer o ots gan Math.

'Pam wnest ti redeg i ffwrdd, Math?'

'O'n i 'di cael digon yn 'rysgol.'

Eisteddodd i fyny, gan edrych ar y plismon ifanc yn agosáu at ein cuddfan yn y twnnel.

Yn hwyrach y prynhawn hwnnw, eisteddai Math a minna ochr yn ochr ar gadeiriau plastig y tu allan i swyddfa Mr Humphreys yn yr ysgol. Roedd rhywun wedi rhoi papur a phensiliau i Math, ac felly roedd o'n brysur yn creu wynebau, degau ar ddegau ohonyn nhw gan orchuddio pob modfedd o'r papur.

'Mi wn i nad ydach chi'n hoff o'r syniad, ond dw i'n meddwl bod digwyddiadau heddiw yn ddigon o reswm i chi ailystyried...'

'Newid y pwnc ydach chi rŵan. Rydach chi i fod i ofalu am fy mhlant rhwng naw a hanner awr wedi tri, ac rydach chi wedi methu gwneud hynny heddiw.' Swniai Mam yn gandryll. Gallwn glywed ei llais yn uchel drwy ddrws cilagored y swyddfa.

Ochneidiodd Mr Humphreys. 'Ac mae'n wir ddrwg gen i am hynny. Rydach chi'n iawn na ddylai Math fod wedi gallu dianc heddiw. Ond, mae'n rhaid i mi fod yn onest efo chi, a dweud o waelod fy nghalon nad ydan ni, fel ysgol, yn medru ymdopi efo Math mwyach.'

Saib hir.

'Y gweiddi, y sŵn, y diffyg cydweithrediad,' meddai Mr Humphreys yn dawel. 'Mae angen cymorth arbenigol ar Math. Ysgol sy'n ei ddallt o.'

'Os eith Math i ysgol arbennig, ddaw o byth yn ei flaen yn y byd,' mynnodd Mam yn benstiff.

'Dw i'n gwybod eich bod chi'n meddwl mod i'n dweud y pethau hyn er mwyn cael gwared ar Math,' atebodd y prifathro'n fwyn. 'Ond dw i wir yn credu, o waelod fy nghalon, y byddai Math yn hapusach mewn ysgol arbenigol.'

Edrychais draw at Math oedd yn dal i sgriblo'i luniau. Ddangosodd o 'run arwydd ei fod o wedi clywed gair o'r ddadl amdano.

Roedd yn rhaid i mi roi'r gorau iddi. Roedd Math wedi bod ar goll ym Mhorthmadog ers chwe awr a dyn a ŵyr ble roedd o rŵan. Codais o'r fainc yn yr harbwr a dechrau cerdded yn ôl i Gae Madog. Mi wnawn i bacio'r babell a phopeth arall, talu fy nyled i'r ddynes ifanc a cherdded i lawr i swyddfa'r heddlu. Roedd yr heddlu wedi bod yn garedig iawn pan aeth Math ar goll o'r ysgol. Falla y bydden nhw 'run mor glên rŵan.

Wrth gerdded ar hyd y lôn i'r gwersyll, ceisiais ddychmygu sut byddai pobol yn ymateb ar ôl clywed beth ro'n i wedi'i wneud. Mi fyddai Mam yn wallgof bost, ac wedyn mi fyddai'n crio. Fyddai fy athrawon yn yr ysgol ddim yn dweud gair, er mi fyddan nhw'n siŵr o fod yn clebran amdana i.

Roedd ambell berson yn gorwedd o gwmpas y gwersyll pan gyrhaeddais yno – dynes ganol oed mewn siorts a bicini, cwpl oedrannus y tu allan i garafán yn chwarae cardiau ar fwrdd bach. Chymerodd neb 'run iot o sylw ohona i.

Agorais y babell gan ochneidio, yn teimlo diflastod llwyr yn llenwi pob modfedd o 'nghorff. Ro'n i wedi colli Math. Gwnes i 'ngorau i edrych ar ei ôl ond ro'n i wedi methu.

"Sgin ti fwyd i mi?' crawciodd llais piwis o gefn y babell, a llamodd fy nghalon mewn braw a gorfoledd.

Math!

Pennod 9

ER I MI drio fy ngorau, ches i ddim gwybodaeth gan Math i ble roedd o wedi diflannu'r bore hwnnw ym Mhorthmadog. 'Mynd am dro wnes i,' oedd yr unig ateb ges i, a gwg pwdlyd ar ei wyneb yn fy rhybuddio rhag meiddio'i holi ymhellach. Mi allwn i fod wedi rhoi stîd iddo fo yn y fan a'r lle am achosi'r ffasiwn boen meddwl i mi, ond y gwir oedd, ro'n i'n teimlo gormod o ryddhad i deimlo'n flin. Roedd o yma, ac mewn un darn, dyna oedd yn bwysig.

Yn ôl ei arfer, roedd Math ar lwgu, felly aeth y ddau ohonon ni i lawr i Borthmadog i brynu bwyd o'r archfarchnad. Teimlwn ar ben fy nigon. Roedd cael Math yn ôl yn ffasiwn ryddhad, a phrin y sylwais ei fod o'n gwgu wrth i ni lwytho'r fasged â danteithion.

'Gwell i ni frysio,' meddwn wrth i ni adael yr archfarchnad. 'Sbia ar y cymylau duon sy'n hel draw fan'cw.' Er mai dim ond canol pnawn oedd hi, edrychai'r byd fel petai ar fin nosi, ac roedd llonyddwch bygythiol yn yr aer er mor brysur oedd y stryd. Wrth i ni droi i fyny'r lôn a arweiniai at Gae Madog, syrthiodd y dafnau bras cyntaf o law cynnes.

Yn fy llawenydd o ddod o hyd i Math, ro'n i wedi anghofio cymaint o ofn storm oedd arno fo.

Wnaeth o ddim nadu na sgrechian. Agorodd o mo'i geg i gwyno, hyd yn oed. Ond pan ddaeth y daran gyntaf ymhell i ffwrdd, safodd Math yn hollol stond a dechrau beichio crio.

Tydi pobol ddim yn arfer gweld hogiau ysgol gyfun yn beichio crio. Chwarae teg iddyn nhw, trio helpu oedden nhw wrth stopio i weld oedd popeth yn iawn. Doedd dim i'w ddweud heblaw, 'Mae arno fo ofn storm', a chael golwg digon rhyfedd yn ôl ganddynt.

Bu'n rhaid i mi gydio yn ei arddwrn a'i dynnu i fyny i Gae Madog. Wnaeth o ddim tynnu yn fy erbyn i, ond wnaeth o ddim stopio crio chwaith, a tydw i ddim yn sôn am ryw sniffian di-ddim chwaith. Bonllefau mawr, byr ei wynt, llysnafedd yn rhedeg i lawr o dan ei drwyn, ei holl gorff yn ysgwyd o dan rym ei ddagrau. Dechreuodd y glaw syrthio'n drwm, ac o fewn dim, roedd y ddau ohonon ni'n wlyb at ein crwyn.

Cymerodd ugain munud i ni gyrraedd Cae Madog, ac erbyn hynny roedd pob dilledyn ar ein cyrff gyn wlyped â phetaen ni wedi plymio ar ein pennau i'r môr. Y peth cyntaf wnes i ar ôl cyrraedd y babell oedd tynnu pob dilledyn oddi ar Math, ei sychu â thywel, cyn gwneud yn union yr un fath i mi fy hun. Mi orfodais o i fynd i mewn i'w sach gysgu a lapiais f'un innau o'm cwmpas. Unodd sŵn wylo Math â sŵn y glaw yn curo'n filain ar gynfas y babell. Roedd ei wyneb wedi chwyddo yn dilyn yr holl ddagrau, a throdd ei drwyn a'i lygaid yn goch.

Fflachiodd mellten y tu allan i'r babell, a daeth taran fel daeargryn i'w chanlyn. Cydiodd Math yn ei brism a'i ddal yn agos at ei foch. Caeodd ei lygaid yn dynn, a thrio cau ei feddwl ac anghofio'r tywydd mawr.

Symudais draw ato a rhoi fy mraich o'i gwmpas. Ro'n i'n ysu am wneud iddo deimlo'n well, ond wnaeth o ddim cymryd sylw ohona i. Do'n i ddim yn llwyddo i gynnig unrhyw gysur iddo o gwbl.

Wn i ddim pam, ond mae gan Math ofn pob sŵn mawr a ddaw o'r awyr – taranau, awyrennau isel, tân gwyllt. Pan fyddai'n stormus, byddai'n cydio yn ei ddwfe oddi ar ei wely ac yn eistedd ar y grisiau, lle nad oes unrhyw ffenest. Crio byddai o yn fan'no hefyd, nid torri'i galon fel y gwnâi yn y babell yng Nghae Madog, ond wylofain bach tawel, ofnus, fel cath fach wedi colli'i mam. Er mor ddychrynllyd ac afiach yw nadu Math, a'i dymer tanllyd, roedd ei weld o'n crio fel hyn gymaint gwaeth. Roedd arno ofn go iawn.

Fis Tachwedd diwethaf, ar noson tân gwyllt, aeth Math i'w wely am bump, a thynnu'r cynfasau dros ei ben. Yn fuan wedyn, dechreuodd y gwichian a'r ffrwydro y tu allan, a gwyliais y môr hardd o oleuni yn yr awyr.

'Dos di allan os lici di,' meddai Mam wrth fy ngweld yn sbio drwy'r ffenest. 'Dos at dy ffrindiau.'

'Mae'n iawn,' atebais, ac mi fedrwn i weld ei bod hi'n falch. Roedd o'n brofiad rhyfedd eistedd i gael swper heb Math, er ein bod ni'n gwybod ei fod o i fyny'r grisiau. Heblaw am yr adegau prin ar fy mheiriant gêmau, fyddai Mam a minna byth yn gwneud pethau efo'n gilydd, jest y ddau ohonon ni.

Hanner ffordd drwy'r pitsa oeddan ni pan ddaeth y sŵn, fel gwydr yn malu'n deilchion, o'r llofft. Edrychodd Mam a minna ar ein gilydd, ac yn syth, bron, daeth yr un sŵn eto, ond yn uwch.

Rhedais i fyny'r grisiau y tu ôl i Mam, a 'nghalon yn fy llwnc. Taflodd Mam ddrws llofft Math a minna'n agored, a syllodd y ddau ohonon ni i mewn.

Roedd y lle wedi'i falu'n llwyr.

Bu'n rhaid i mi symud o'r ffordd yn sydyn wrth i Math

daflu chwaraeydd CDs tuag ata i, a rhuai fel anifail gwyllt wrth wneud hynny. Edrychais ar ei wyneb. Roedd ei ddannedd yn sgyrnygu'n ffyrnig, a'i lygaid yn sgleinio'n wallgo. Cododd gadair o gornel y stafell, a'i hyrddio at y cwpwrdd dillad gan greu twll mawr, hyll fel ceg agored yn y drws.

Roedd o wedi rhwygo'r posteri oddi ar y wal, a'r papur wal oddi tano. Y llyfrau i gyd hefyd wedi'u tynnu oddi ar y silff a'u taflu o gwmpas y stafell, gan ddymchwel y drych, a rywsut, roedd wedi rhwygo'r dillad gwely ar fy ngwely i. Gwnâi ei orau i wneud llanast llwyr o'r stafell, ac roedd o'n llwyddo.

'Paid, Math!' crefodd Mam, gan symud tuag ato. Wrth iddi agosáu, trodd Math i'w hwynebu a'i chripian yn giaidd ar ei hwyneb, gan adael gwaed ar ei gruddiau.

Fedrwn i ddim symud. Welais i erioed y ffasiwn beth yn fy mywyd.

Yn y diwedd, bu'n rhaid i Mam a minna gau'r drws ar Math, a gadael iddo ddal ati i ddinistrio. Es i'r ystafell ymolchi i nôl gwlân cotwm, ac eisteddodd Mam a minna ar y grisiau y tu allan i'r llofft yn gwrando ar y sgyrnygu a'r taflu oddi mewn.

'Wnaeth o'ch brifo chi, Mam?'

Gwasgodd Mam y gwlân cotwm i'w grudd, gan riddfan ychydig mewn poen. 'Ydi o'n friw dwfn, Twm?'

Edrychais ar y llinell dros ei hwyneb. Roedd hi mor dlws. 'Yndi. Falla bydd angen sylw arno.'

'Mae nyrs yn dod i'r cartref henoed fory. Mi ofynna iddi gael sbec arno fo.'

Eisteddodd y ddau ohonon ni mewn tawelwch yn gwrando ar yr hafoc drws nesaf. Methwn droi fy meddwl oddi ar yr olwg ffiaidd, wyllt oedd ar wyneb Math wrth iddo gripian Mam. Roedd o wedi 'nychryn i.

'Fedr petha ddim cario 'mlaen fel hyn, Mam.'

'Twt lol. Tydi o rioed wedi 'mrifo i o'r blaen.'

'Yndi, tad!'

'Ddim fel hyn.'

Roedd Mam yn iawn i ddweud na fyddai Math cynddrwg â hyn fel rheol. A dweud y gwir, dyna'r unig dro i mi ei weld o'n colli rheolaeth yn llwyr ar ei synhwyrau, fel petai rhywbeth wedi'i feddiannu, er bod unwaith yn ddigon. Roedd arna i ofn y byddai o'n gwneud hynny eto. Roedd o wedi taro, pwnio, a chicio cyn hyn, ac weithiau wedi cripian neu dynnu gwallt. Ond roedd o wedi'i hanafu hi go iawn y tro hwn, ac roedd o'n prysur dynnu'r tŷ yn ddarnau.

'Rhaid i ni wneud rhywbeth, Mam.'

'Fel be?'

'Does 'na ddim moddion fyddai'n gallu ei helpu o?'

Ochneidiodd Mam. 'Dw i ddim isio iddo fo fod yn ddibynnol ar ryw hen gyffuriau. Na. Mi fydd o'n iawn, sti Twm, mi wneith o dyfu a choncro hyn.'

Dwn i ddim pa mor hir yr eisteddodd Mam a minna ar y landin y noson honno, er mod i'n amau ein bod ni wedi bod yno am oriau. Yn raddol bach, distawodd Math, ac ymhen hir a hwyr, cafwyd tawelwch llwyr.

Roedd o'n cysgu – wedi ymlâdd ar ôl yr holl strancio. Gorweddai'n belen fach ar y llawr, a'r ystafell yn deilchion o'i gwmpas. Hyd yn oed fy mhethau i. Roedd o wedi tynnu pob CD allan o'u cesys, ac wedi mynd ati i grafu cefn pob un ohonyn nhw â rhywbeth miniog. Fyddai dim posib eu hachub nhw. Am eiliad fer, teimlwn fel pwnio Math a'i hen dymer afiach. Pam ei fod o'n cael get-awê efo gwneud pethau mor ofnadwy, jest am ei fod o'n wahanol?

Cododd Mam gorff cysglyd Math fel tasa fo'n ddim mwy na babi blwydd, a'i osod yn ofalus ar ei wely. Agorodd Math ei lygaid am eiliad, ac edrych i fyny arni.

'Dw i ddim yn licio tân gwyllt, Mam.'

'Wn i, 'ngwas i,' atebodd hithau, a phlannu cusan ar ei dalcen, oedd yn diferu o chwys ar ôl yr holl ddinistr.

Roedd fy ngwely i'n llanast o wydr wedi torri, llyfrau wedi'u rhwygo'n ddarnau, stribedi hirion o bapur wal.

'Mi wnawn ni sortio hwn fory,' meddai Mam yn flinedig. 'Mi gei di gysgu efo fi heno.'

Yng ngwely Mam, mi allwn i weld y tân gwyllt drwy'r ffenest yn y to. Roedd rhywun wedi gwario ffortiwn ar wneud clamp o sioe, yn gawodydd o biws, glas, pinc, melyn, gwyrdd... Holl liwiau'r enfys.

'Tlws ydyn nhw, yntê?' meddai Mam yn gysglyd wrth fy ymyl. Nodiais heb droi i edrych arni.

Pam oedd Math wedi gwneud llanast ar fy ngwely i, meddyliais, ond nid ar ei wely o ei hun? Pam roedd o wedi mynd i'r ffasiwn dymer, dim ond am ei bod hi'n noson tân gwyllt? Pam roedd Mam yn gadael iddo fo wneud pethau na fyddai hi byth yn caniatáu i mi eu gwneud?

'Mam...' dechreuais, gan deimlo'r pryderon yn cronni y tu mewn i mi. Ond roedd Mam yn cysgu'n braf.

Trois yn ôl at y ffenest yn y to, a gwylio'r tân gwyllt nes

i'r holl liwiau ddiflannu gan adael dim ond awyr ddu, a sêr dirifedi'n wincio yn y pellter.

Mynd a dod wnaeth y taranau'r noson honno yng Nghae Madog, ond parhau drwy'r nos wnaeth udo hunllefus Math. Wyddwn i ddim y gallai unrhyw un grio cyhyd. Ro'n i wedi dychmygu y byddai rhywun yn brin o ddagrau, yn wylo'i hunan i drwmgwsg, ond na, nid Math. Daliodd ati i grio tan doriad y wawr, weithiau'n dawel, ac weithiau mewn bonllefau torcalonnus. Er mor uchel oedd y taranau a'r glaw, ro'n i'n siŵr y byddai'r gwersyllwyr eraill yn medru ei glywed o. Ond be allwn i ei wneud? Byddai Math yn crio beth bynnag a wnawn i.

Erbyn pump o'r gloch y bore, roedd y storm wedi hen basio a'r glaw wedi peidio. Gan anadlu'n drwm, syrthiodd Math i gysgu o'r diwedd, ei gorff yn swp o chwys yn ei sach gysgu a'r prism yn olion bysedd i gyd.

Mae gen i gywilydd dweud, Miss Jenkins, ond mi wnes innau ddechrau crio wedyn. Roedd cymysgedd o bethau yn fy mhoeni – blinder, diflastod, colli 'ngwely iawn adref. Hiraeth am Mam, a phryder mod i wedi gwneud camgymeriad mawr yn dod â Math yma efo mi. Be ddaeth dros fy mhen i? Be wnaeth i mi feddwl y gallwn i ofalu amdano cyhyd?

Heb i mi sylwi, bron, syrthiais innau i gysgu, a chael hunllef ofnadwy. Breuddwydiais fy mod yn agor sip y babell a gweld bod Math a minna mewn düwch llwyr – dim tir, dim awyr, dim byd ond düwch, fel pydew dychrynllyd. Edrychais ar

Math yn y babell, ond doedd dim braw nac emosiwn ar ei wyneb. Dim ond yr olwg wag, ddiemosiwn fyddai yno bob amser...

'Oi! Dach chi yna?'

Agorais fy llygaid. Roedd goleuni'r dydd a dreiddiai drwy'r cynfas yn brifo fy llygaid blinedig. Cymerais gip ar fy oriawr – hanner awr wedi wyth y bore.

''Gorwch y babell 'ma!' Llais dyn oedd o, a doedd o ddim yn swnio'n hapus iawn. Agorais ddrws y babell, a chur pen yn fy llethu o ganlyniad i'r diffyg cwsg.

'Cwyd ar dy draed!' gorchmynnodd y dyn ifanc, a doedd gen i fawr o ddewis ond ufuddhau. Roedd o'n swnio'n gandryll. Ciledrychais arno – dyn ifanc, tal, a gwallt coch wedi'i dorri'n agos at ei ben, a chlustdlws mawr aur yn un o'i glustiau.

'Dw i 'di cael tri o bobol yn dod i'r tŷ 'cw bora 'ma i gwyno am y twrw oedd yn dŵad o'r babell yma neithiwr.' Pwyntiodd at y bwthyn lle gwelson ni'r ddynes flinedig a'i phlant bach. Mae'n rhaid mai hwn oedd ei gŵr hi felly.

'Sorri,' atebais yn nerfus. Wyddwn i ddim beth arall i'w ddweud.

'Crio mawr, meddan nhw. Be ydi'r matar?'

Edrychai'n fwy blin yn hytrach na bod yn bryderus amdanon ni.

''Mrawd bach. Mae ganddo fo ofn mellt a tharana.'

Rhegodd y dyn ac ysgwyd ei ben. 'I be doist ti â hogyn ac arno ofn storm i gampio, y clown?'

Roedd o'n amlwg yn meddwl bod Math yn iau nag oedd o go iawn, a doedd gen i ddim bwriad ei gywiro fo. 'Ro'n i'n meddwl bod y rhagolygon yn addo y byddai hi'n braf.'

Chwarddodd y dyn yn anghrediniol, fel petai o'n methu coelio'i glustiau. 'Wel, mi fydd yn rhaid i chi symud o 'ma.'

'Ond ddoe gyrhaeddon ni!'

Plethodd y dyn ei freichiau a saethu golwg flin ata i. 'Ma' gynnoch chi awr i hel eich pac. Cer adra, a deud wrth dy fam a dy dad mod i'n meddwl eu bod nhw'n rhai gwael yn rhoi hogyn bach yng ngofal rhywun ifanc fath â chdi.'

Trodd y dyn ei gefn a cherdded yn ôl tua'r bwthyn. Roedd criw o wersyllwyr wedi ymgasglu wrth y bloc ymolchi, a phawb yn edrych draw i 'nghyfeiriad i fel tawn i'n faw. Bu bron i mi godi bys arnyn nhw.

O dan amgylchiadau gwahanol, mi fyddwn i wedi mwynhau bod ym Mhorthmadog – yr adeiladau tlws, yr harbwr, a'r mynyddoedd a amgylchynai'r dref. Ond ar ôl noson ddi-gwsg, llais y dyn blin yn dal i atseinio yn fy nghlustiau, a Math, yn boenus o dawel, ro'n i'n awyddus i adael. Roedd hi'n rhy brysur yma. Tawelwch a llonyddwch oedd eu hangen arnon ni, rhywle i godi'n pabell lle y caen ni gysgu.

Roedd awr tan y bws nesaf, felly crwydrodd Math a minna i lawr i'r orsaf drenau wrth y Cob. Ro'n i wedi sylwi arni pan es i chwilio am Math y diwrnod cynt. Dangosai'r amserlen fod trên i Fachynlleth yn gadael mewn deng munud. Do'n i erioed wedi bod ym Machynlleth, ond ro'n i'n hoffi'r enw.

'Wyt ti isio mynd ar drên, Math?'

Nodiodd Math, gan edrych dros fy ysgwydd i ddarllen enwau'r holl orsafoedd rhwng Porthmadog a Machynlleth: Llandanwg, Harlech, y Bermo...

'Gawn ni fynd i fan'no?' Pwyntiodd Math at enw un o'r gorsafoedd.

'Tonfannau? Dw i rioed 'di clywed am y lle.'

'Na finnau.'

Doedd gen i mo'r egni i ddadlau. Prynais ddau docyn i Donfannau, setlo ar seddi cyfforddus y trên, a gobeithio'r gorau.

Wn i ddim fuoch chi ar y trên ar yr arfordir rhwng Porthmadog a Thonfannau, Miss Jenkins, ond mae hi'n werth mynd. Roedd yn fore arbennig, y caeau a'r mynyddoedd yn anhygoel o wyrdd ar ôl y storm ar un ochr, a'r môr a'i donnau bach ewynnog ar yr ochr arall.

Do'n i ddim mewn hwyliau priodol i werthfawrogi prydferthwch arfordir Cymru, fodd bynnag. Teimlwn yn waeth nag erioed o'r blaen: yn flinedig, yn ddiamynedd ac, yn fwy na dim, yn llawn anobaith. Roedd ein cyfnod ym Mhorthmadog wedi bod yn un ofnadwy, yn llawn dagrau a phoen, a do'n i ddim yn siŵr pam roeddan ni'n parhau ar ein siwrnai rŵan. Mater o amser oedd hi, meddyliais, tan ein bod ni'n ei heglu hi 'nôl am Gaernarfon a'n cynffonnau rhwng ein coesau. Waeth sut le oedd Tonfannau, byddai Math a minna'n siŵr o roi'r gorau i'n taith, a gorfod wynebu'r stŵr adref unwaith y byddai Mam yn darganfod beth a wnaethon ni.

Pennod 10

PAN DDAETH Y trên i stop yn Nhonfannau, ro'n i'n siŵr bod rhywun wedi gwneud camgymeriad.

Roedd o ynghanol nunlle.

Ambell ffermdy pellennig yng nghesail y bryniau, a'r môr yn las tywyll trawiadol i'r cyfeiriad arall. Ond doedd dim siopau, dim caffis, dim byd ond hen adfeilion ar lan y môr, a defaid yn crwydro o'u cwmpas.

Cyn i mi gael cyfle i newid fy meddwl, roedd Math wedi rhoi'r bag ar ei gefn ac wedi cerdded tuag at ddrws y trên. Waeth i mi gael cip o gwmpas y lle ddim, rhesymais wrth ei ddilyn. Medren ni ddal y trên nesaf i rywle arall wedyn.

Un tŷ bach o frics coch oedd wrth y platfform, a hwnnw'n eiddew ac yn chwyn i gyd. Roedd hi'n amlwg nad oedd unrhyw un wedi byw yno erstalwm. Heb fod yn bell o fan'no, roedd ffermdy o gerrig llwyd nad oedd fawr mwy nag adfail. Er bod hen garafán ac offer adeiladu o gwmpas y lle'n awgrymu bod gan rywun ddiddordeb mewn adnewyddu'r hen ffermdy, doedd dim arlliw o fywyd yn unman. Roedd arwydd llwybr cyhoeddus yn cyfeirio at lan y môr, a heb yngan gair, dechreuodd Math gerdded ar ei hyd. Dilynais innau wrth i'r trên symud i ffwrdd yn araf, yn ddigon hapus i beidio â gorfod gwneud penderfyniad am unwaith.

Wyddoch chi, Miss Jenkins, gallwn i ysgrifennu tudalennau a thudalennau am Donfannau, a fyddwn i byth yn dod yn agos at ddisgrifio'r teimlad o sefyll yno, ynghanol hen adfeilion, gwynt y môr yn fy ngwallt a thonnau'r Iwerydd yn anadlu'n dawel gerllaw. Roeddwn i mor ddiflas ar y trên – doedd hyd yn oed y siwrnai a'i golygfeydd godidog ddim yn ddigon i godi 'nghalon i. Ond diflannodd fy holl bryderon wrth i mi sefyll yn y cae'n gwylio'r afon yn llifo i'r môr. Roedd yn brofiad hyfryd.

Nid fi oedd yr unig un a deimlai felly. Cerddodd Math i lawr at yr afon, ac eistedd ynghanol y twyni o dywod oedd yn ddigon uchel i'n cuddio ni rhag pawb. Tynnodd ei fag oddi ar ei gefn ac eistedd yn un swp yn y tywod. Edrychai'r tywod yn feddal a chroesawgar, ac ymunais â 'mrawd.

'Mi wna i dy helpu di i godi'r babell.'

Ciledrychais ar Math, yn methu celu fy syndod. 'Ond Math, does 'na ddim gwersyll yn fa'ma.'

'Dim ots. Dw i isio aros yn fa'ma.'

'Ond... does 'na'm tŷ bach na dim...'

'Mi wnawn ni dwll yn y ddaear os byddwn ni isio mynd. Fel yna bydda pobol yn ei wneud yn yr hen ddyddia.'

'Sut gwyddost ti hynny?'

'Mi ddarllenais i amdano fo mewn llyfr.'

Ystyriais am eiliad. Roedd Tonfannau'n hyfryd, wrth gwrs, ac mewn rhyw ffordd, yn ddelfrydol. Byddai Math yn medru sgrechian a nadu drwy'r nos yma, a neb ond y fi'n ei glywed o. Doedd dim torfeydd i'w boeni yma. 'Ond be wnawn i pan fyddai angen rhagor o fwyd? Does dim siop ar gyfyl y lle...'

'Mi awn ni ar y trên i siopa, ac wedyn dal y trên yn ôl i

fa'ma.' Wnaeth Math ddim aros i mi gytuno. Aeth yn syth i'r bag i nôl y babell.

'Ocê, 'ta. Mi driwn ni'r lle am un noson. Jest i weld a ydan ni'n ei licio fo neu beidio.'

Mae dau o bobol yn gynt o lawer yn codi pabell nag un, ac ymhen hanner awr, roedd Math a minna'n eistedd yn y tywod yn aber yr afon yn bwyta creision ac yn gwylio'r môr, y babell wedi'i chodi yn y twyni cysgodol ac yn cynnig golygfa hyfryd i ni. Teimlai erchyllterau'r noson cynt ymhell, bell i ffwrdd, ac wrth wylio Math yn ymestyn am ei bapur a'i bensiliau, gwyddwn ei fod yntau'n fodlonach ei fyd. Daeth llygedyn o obaith yn ôl i mi. Efallai, wedi'r cyfan, y byddai Math a minna'n llwyddo i aros oddi cartref, ac yn mwynhau ein gwyliau, gan lwyddo i wireddu fy nghynllun.

Pan fydda i'n hel meddyliau am ein hamser ni yn Nhonfannau, yr hyn sy'n dod i'r cof ydi sylweddoli mor normal oedd popeth. Roedd o bron fel cael brawd arferol, brawd nad oedd byth yn nadu nac yn sgrechian. Feddyliais i rioed y byddwn i'n medru bod mor hapus yng nghwmni Math, nac mor ddibryder. Roedd rhywbeth am Donfannau a wnâi i'r ddau ohonon ni deimlo'n well, yn wir i ymlacio'n llwyr. Wyddwn i ddim fod y fath bleser i'w gael wrth wneud y pethau syml: mynd am dro, gwneud cestyll tywod cymhleth, hel cerrig ar lan y dŵr. Ro'n i wedi darllen ambell lyfr am hogiau'n treulio'u hamser fel hyn ond byddai'r cyfrifiadur neu'r teledu yn hawlio fy sylw i adref.

Yn y prynhawniau, byddai Math yn estyn ei bensiliau a'i bapur, ac mi awn i ar fy mhen fy hun i archwilio'r adfeilion cyfagos. Ar un adeg roeddan nhw'n adeiladau mawr, hirion, ond bellach dim ond y waliau concrit oedd yn sefyll, a'r seiliau hirsgwar llwyd. Fedrwn i ddim dychmygu beth a arferai fod yno – tai, efallai? Ysbyty? Mae'n rhaid bod yr olygfa o'r ffenestri wedi bod yn anfarwol gan fod yr adeiladau mor agos i'r môr.

Ar y trydydd diwrnod, ac ar ôl sylweddoli nad oedd trenau'n stopio yn Nhonfannau heblaw bod rhywun yn gwneud cais arbennig iddynt wneud, cerddodd Math a minna ar hyd y llwybr cyhoeddus, croesi pont y rheilffordd a llawer o gaeau gwastad, nes gweld tref fach gyfagos ac eglwys fawr o gerrig yn ei chanol. Doedd gen i ddim syniad ble roeddan ni wrth i mi droedio'r ychydig strydoedd, a'r promenâd a'i gaffis a'i arcêd. Yng nghanol y dref, daeth Math o hyd i hysbysfwrdd mawr o bren a map arno fo.

"Dan ni yn Nhywyn,' meddai'n uchel. Cefais syndod wrth weld pa mor bell i lawr ar fap Cymru oeddan ni – bron hanner ffordd i lawr yr arfordir. Do'n i ddim wedi clywed am Dywyn o'r blaen, heb sôn am Donfannau. Tref hen ffasiwn oedd hi, siopau bach ac adeiladau mawr, tal o boptu'r stryd ac yn y pellter, roedd mynyddoedd yn codi i'r cymylau. Gan nad oedd y dref ei hun yn ymddangos yn rhy brysur, penderfynodd Math a minna fynd am dro bach i gael dod i adnabod y lle'n well.

"Dw i isio mynd i mewn i fan'na,' pwyntiodd Math wrth i ni fynd heibio adeilad isel, digon llwm yr olwg.

'Y llyfrgell?' gofynnais yn syn. 'I be?'

'I sbio ar lyfrau.'

Ar hynny, croesodd Math y lôn a mynd drwy'r drysau mawr i mewn i'r llyfrgell.

Roedd hi'n gynnes ac yn dawel yno, ac roedd Math eisoes wedi mynd draw at y silffoedd i chwilota am lyfr. Gwyddwn nad oedd yn beth doeth i'w styrbio fo, felly sefais yn y drws, yn trio penderfynu beth i'w wneud.

'Wyt ti'n iawn?' gofynnodd y llyfrgellydd a gwên siriol ar ei hwyneb. Roedd hi'n ddynes dal, dlos, tua'r un oed â Mam, ac roedd rhywbeth amdani a wnâi i mi ymlacio'n syth. 'Wyt ti angen help i chwilio am lyfr?'

'Plis,' atebais â gwên. 'Gwneud prosiect ysgol ydw i, ac yn meddwl tybed oes gynnoch chi lyfrau hanes lleol, plis?'

Cododd y ddynes gan fy arwain at silff yng nghefn y llyfrgell. 'Oes rhywle penodol yr hoffet ti wybod mwy amdano?'

'Tonfannau.' Ro'n i am gael gwybod mwy am yr hen adfeilion hirion ar lan y môr.

Chwiliodd y llyfrgellydd am ychydig cyn tynnu llyfr oddi ar y silff. Rhoddodd y llyfr yn fy nwylo, gan fy siarsio i holi pe bawn i angen help i chwilio am rywbeth arall.

Ar ôl gwneud yn siŵr bod Math yn hapus a'i ben mewn llyfr, eisteddais mewn cadair esmwyth o ledr du, ac agor y llyfr. Hunangofiant oedd o, a llun hen ŵr yn gwisgo sbectol a chanddo wallt gwyn ar y clawr. Credwn yn siŵr fod y llyfrgellydd wedi rhoi'r llyfr anghywir i mi drwy gamgymeriad, ond na. Sylwais ar deitl y drydedd bennod, sef 'Tonfannau'.

Arhosodd Math a minna yn y llyfrgell drwy'r prynhawn, ein dau yn eistedd mewn cadeiriau moethus tan i'r lle gau am bump. Ymgollais yn llwyr yn hanes Tonfannau a disgrifiadau'r awdur ohono fel gwersyll hyfforddi i'r fyddin erstalwm. Gallwn ddychmygu'r lle'n llawn dynion ifanc, yn saethu allan i'r môr wrth ymarfer. Yn ôl y llyfr, arferai'r lle fod yn llawn bwrlwm ac yn wir roedd sinema yno yn yr hen ddyddiau! Prin y medrwn i goelio'r peth gan fod y lle mor heddychlon a thawel erbyn hyn.

Rhyw lyfr am sut i fyw allan yn y gwyllt oedd wedi denu sylw Math, a rhoddodd ei holl sylw iddo am rai oriau. Feddyliais i fawr ddim am y peth nes roeddan ni mewn archfarchnad cyn mynd yn ôl i Donfannau gyda'r nos.

'Ffoil,' meddai Math, gan roi pecyn i mewn yn y troli. 'A 'dan ni angen sosejys.'

Syllais arno'n gegagored. 'Ond dwyt ti ddim yn licio sosejys, Math.' Roedd o'n un cwynfanllyd iawn am ei fwyd, yn gwybod yn union be oedd o'n ei licio, ac yn gwrthod ystyried unrhyw beth arall.

Cefais fy anwybyddu'n llwyr, ac aeth Math ati i lenwi'r troli â phethau na fyddai o'n ystyried eu bwyta fel arfer: lemwn, tomatos, cig tun, wyau, yn ogystal â phecyn o fatshys, er do'n i ddim yn hapus iawn am hynny. Doedd gen i mo'r galon na'r dewrder i'w wrthod, gan nad o'n i am wynebu'r strancio a fyddai'n siŵr o ddilyn tawn i'n tynnu'n groes. Y peth olaf roddodd o yn y troli oedd rhwyd bysgota, y math o beth y byddai plant bach yn ei defnyddio ar ddiwrnod heulog ar y traeth.

'Dwyt ti ddim yn gobeithio dal sgodyn efo honna, wyt ti?' gofynnais yn amheus. 'Achos, i ddal pysgodyn, mi fasat ti angen gwialen, a mwydod a ballu...'

Fy anwybyddu unwaith eto wnaeth Math, ond wnâi o ddim gadael i mi gyffwrdd yn y rhwyd, wrth iddo ei chario fel trysor ar ei gefn bob cam yn ôl i Donfannau.

Roedd hi'n flynyddoedd ers i ni fynd allan am bryd o fwyd fel teulu. Cyn i Dad ei heglu hi, dw i'n siŵr. Wnaeth Mam rioed drafferthu gan fod Math mor rhyfedd ynglŷn â bwyta, felly roedd hi'n ormod o drafferth. Byddai'n well gan Mam aros adref i goginio rhywbeth roedd hi'n gwybod y byddai o'n ei fwyta yn hytrach na gwastraffu pres yn talu rhywun arall i goginio bwyd y byddai o'n siŵr o'i wrthod.

Rhyw bedair oed, mae'n siŵr oedd Math pan aeth Dad â ni i dŷ bwyta smart ar gyrion y dref. Doedd neb yn siŵr yr adeg honno, a oedd Math mewn gwirionedd yn wahanol i bawb arall neu ai bod braidd yn fabïaidd am ei oed oedd o. Dw i'n meddwl bod Mam a Dad yn dal i obeithio, bryd hynny, y byddai o'n tyfu ac yn anghofio'i arferion rhyfedd, felly roeddan nhw'n smalio bod popeth yn iawn drwy fynd â ni am brydau bwyd a ballu er mwyn dysgu Math.

Pen-blwydd Mam oedd hi, ac roedd y pedwar ohonon ni wedi gwisgo'n smart i fynd i'r bwyty. Gwisgai Mam bâr o glustdlysau a gawsai'n anrheg gan Math a minna. Roedd lleuad a sêr bach sgleiniog yn crogi o'i chlustiau, dw i'n cofio.

Roedd popeth yn grêt, i ddechrau. Cafodd Math a minna botelaid fach o bop oren yr un; cafodd dad sudd oren a Mam wydraid o win coch. Sylwais i gymaint roedd Mam a Dad yn gwenu ar ei gilydd. Roedd Mam yn edrych wrth ei bodd efo'r mwclis 'm' a gawsai'n anrheg ben-blwydd ganddo. Gollyngodd Math ei fforc ar lawr, a phan es i o dan y bwrdd i'w chodi, sylwais fod Mam a Dad yn dal dwylo.

Dim ond bwyd plaen a hwnnw'n wyn yr hoffai Math ei fwyta, hyd yn oed bryd hynny: bara, pasta, reis a thatws stwnsh. Daeth y weinyddes at y bwrdd a gadael basgedaid o fara ar ei ganol, a soser o fenyn ar siâp hirsgwar wrth ei hymyl.

Craffodd Mam ar y bara, cyn cymryd cip petrus ar Math. 'Tydi o ddim y math o fara rwyt ti'n ei licio. Arhosa di funud, fydd dy basta di ddim yn hir.'

'Dw i isio bara,' mynnodd Math yn benstiff.

'Fyddi di ddim yn ei licio fo,' meddai Mam yn bryderus.

'Gad iddo fo drio, Menna,' mynnodd Dad. 'Falla gwneith o ddysgu ei fwynhau o.'

Ddywedodd Mam ddim gair, ond roedd hi'n amlwg o'r olwg ar ei hwyneb nad oedd hi'n cytuno.

Teimlwn y tensiwn yn clymu fy stumog wrth i Dad daenu haen o fenyn dros dafell o fara. Bara brown oedd o, y math oedd yn llawn o hadau bach. Do'n i ddim yn rhy hoff o'r math hwnnw o fara fy hun – dyn a ŵyr be wnâi Math ohono.

Cymerodd Math lond ceg o'r dafell, a'i gnoi'n araf. Syllai Mam, Dad a minna arno mewn tawelwch, yn disgwyl iddo ymateb.

Yn sydyn, agorodd Math ei geg a sticio'i dafod allan, gan adael i lwmpyn mawr llwyd o fara ddisgyn ar ei grys glân, smart cyn glanio ar y lliain bwrdd.

'Ych.'

'Math!' dwrdiodd Dad yn flin. Ar hynny, daeth y weinyddes yn ôl at y bwrdd yn cario'r platiau bwyd. Dynes ifanc oedd hi, a gwên hawddgar ar ei hwyneb.

'Mae'r bara yma'n llawn pryfaid!' meddai Math wrthi'n uchel, fel petai hi wedi trio'i wenwyno.

Agorodd y weinyddes ei cheg, fel petai'n trio meddwl sut i'w ateb.

'Nid pryfaid ydyn nhw,' sgyrnygodd Mam drwy ei dannedd, cyn codi ei phen i wenu'n wan ar y weinyddes. 'Sorri.'

'Ma'r bara yma'n llawn ohonyn nhw! Mi fydda i'n sâl!' mynnodd Math.

'Cau dy geg,' hisiodd Dad.

Roedd Mam wedi rhoi ei phen yn ei dwylo.

Er na wnaeth Math nadu na sgrechian y noson honno, llwyddodd i sbwylio'r noson drwy boeri pob un dim a roddodd yn ei geg yn ôl ar y lliain bwrdd, gan ddweud, 'Dw i'n dal i allu blasu'r pryfaid yn fy ngheg!' Bwytaodd Mam, Dad a minna'n gyflym, a wnaethon ni ddim cael pwdin gan fod pawb am fynd adref cyn gynted â phosib.

Yn y car ar y ffordd adref ochneidiodd Mam yn drist. 'Ro'n i'n gwybod y byddai o'n casáu'r bara 'na.'

'Ti'n gadael iddo fo gael gormod o'i ffordd ei hun. Fysa'r hogyn ddim wedi bihafio fel 'na tasa fo'n cael amrywiaeth gwell o fwyd.'

Ochneidiodd Mam eto. Syllai Math drwy'r ffenest ar oleuadau'r nos. Tynnodd Mam ei chlustdlysau newydd a'u rhoi nhw yn ei phwrs, cyn troi ei phen oddi wrth Dad a syllu ar ddüwch y nos.

'Dw i 'di ymlâdd,' meddwn wrth i Math a minna gyrraedd y babell.

Roedd y bagiau siopa'n drwm, ac wedi creu marciau coch ar fy mysedd ar ôl i ni gerdded cyhyd. Theimlais i rioed mor falch o weld ein pabell yn fy mywyd.

'Dw i 'di prynu creision. Wyt ti isio rhai i swpar?'

Ysgydwodd Math ei ben, cyn gosod y rhwyd bysgota'n ofalus yn y babell. 'Dw i'n mynd i wneud swpar i ni'n dau.'

Syllais yn gegrwth ar Math. Fyddai o byth yn gwneud brechdan, hyd yn oed, heb sôn am wneud swper go iawn. A dweud y gwir, ro'n i'n sicr na fyddai Math yn llwyddo i greu unrhyw beth bwytadwy. Feiddiwn i ddim dweud hynny, wrth gwrs, felly wnes i ddim byd ond nodio a gwylio.

Prin y medrwn gredu fy llygaid. Roedd Math yn amlwg wedi cymryd sylw i gynnwys y llyfryn bach y bu'n ei ddarllen yn y llyfrgell. Aeth ati i wneud cylch o gerrig ar y tywod sych wrth aber yr afon, a hel pentwr o froc môr. Rhwygodd ambell ddalen allan o'i lyfr lluniau a'u gwasgu nhw'n beli bach, cyn eu gosod nhw'n ofalus yn y cylch o gerrig.

Rhaid i mi gyfaddef mod i wedi teimlo braidd yn nerfus pan estynnodd Math y matshys o'r bag siopa, a chynnau'r papur. Â'r peli papur ynghynn, aeth Math ati i osod darnau o'r broc môr arnynt. Ymhen dim, roedd tân ganddo yn fflamio'n braf ar lan y môr.

Os o'n i wedi synnu at allu Math i gyflawni hynny, roedd yr hyn a wnaeth o nesaf yn fwy o syndod byth. Archwiliodd y traeth am rai munudau, cyn dod o hyd i garreg lefn wastad, yr un maint â phlât ond yn hirgrwn. Gorchuddiodd y garreg â ffoil fel ei bod yn sgleinio cyn ei rhoi yng nghanol y fflamau.

Ymhen pum munud, roedd wyau'n ffrwtian yn braf ar y garreg wastad, a Math yn eu procio â darn hir, main o froc môr.

Syllais ar fy mrawd. Gwyddwn na fyddwn i fy hun byth wedi gallu meddwl am wneud peth mor glyfar. Ar ôl dod o hyd i ddwy lechen ar y traeth, a'u golchi nhw yn nŵr yr afon, daeth Math â dau ŵy wedi'u ffrio'n berffaith i mi ar blât o lechen. Fedrwn i ond dweud 'diolch' wrth eu bwyta efo brechdanau ffres o'r archfarchnad.

Wedi i ni orffen ein gwledd syml, eisteddodd Math a minna o boptu'r tân yn gwylio'r haul yn machlud. Roedd pobman mor hardd ac, am unwaith, teimlwn yn hollol fodlon fy myd.

'Roedd be wnest ti rŵan yn grêt,' meddwn i wrth Math. 'Dyna'r pryd mwya blasus i mi ei gael erstalwm.'

Wnaeth Math ddim gwenu. Fyddai o byth yn gwneud. Ond dw i'n credu ei fod yn wirioneddol hapus â fo ei hun y noson honno yn Nhonfannau.

Un o bleserau mwya bywyd, yn fy marn i, ydi bwyd. Ydach chi'n cytuno, Miss Jenkins? Siocled, creision, sglodion, byrgyrs... Dw i wrth fy modd efo nhw i gyd. Ond mi fedra i ddweud, a'n llaw ar fy nghalon, mai'r wyau wedi'u ffrio yna oedd y pethau mwya blasus i mi eu profi erioed. Y petha cynta i 'mrawd eu coginio – a dweud y gwir, dyna'r peth cynta wnaeth Math erioed drosta i. Ro'n i wrth fy modd.

Pennod 11

MI FYDDWN I wrth fy modd yn medru dweud bod stori Math a minna'n gorffen yn Nhonfannau, yn hapus ac yn fodlon ein byd wrth aber yr afon. Byddwn i'n hoffi gallu dweud ein bod ni wedi aros yno tan ei bod hi'n amser i ni fynd adref, bod popeth wedi gweithio fel wats i ni. Yn anffodus, doedd pethau ddim mor hawdd â hynny, ac er mor hyfryd oedd Tonfannau roedd newid mawr ar droed.

Pan fydda i'n meddwl yn ôl i'r wythnos gynta braf a gawson ni yn Nhonfannau, mae fy atgofion fel stori hyfryd i blant amser maith yn ôl. Bu Math a minna'n cerdded, yn synfyfyrio, yn pysgota, hyd yn oed. Oedd, roedd y rhwyd bysgota wedi gwneud ei gwaith, er mawr syndod i mi. Wyddai Math na minna ddim pa fath o bysgod oedd y rhai bach brown a fyddai'n ymhél yng ngheg yr afon, ond, gan ddefnyddio darn miniog o lechen, llwyddodd Math i dynnu'r perfedd a'r esgyrn o'u boliau'n ddidrafferth, ac roeddan nhw'n blasu'n anhygoel wedi'u coginio mewn pecyn o ffoil â sudd lemwn a sleisys o domato.

Cododd un peth fraw arna i wrth i mi ddychwelyd o fod yn siopa yn Nhywyn un diwrnod, a chlywed Math yn siarad efo rhywun yn y babell. Mae'n siŵr y dylwn i fod wedi mynnu ei fod o'n dod efo fi i Dywyn, ond roedd o mor hapus yn Nhonfannau, a fyddwn i ddim yn siopa am fwy na dwy awr.

Roedd y tywydd wedi troi, ac wrth i mi agosáu at Donfannau, trodd y cymylau llwydion yn law. Wrth lwc, ro'n i wedi gwisgo fy nghôt law, ond tydi hi fawr o hwyl cerdded drwy gae gwlyb â phedwar llond bag o siopa, côt law neu beidio. Ro'n i'n ysu am gael cyrraedd yn ôl i'r babell a dangos be o'n i wedi'i brynu i Math – sosban fach, berffaith i'w rhoi ar y tân! Mi fyddai o wrth ei fodd.

Beth bynnag, newidiodd fy mrwdfrydedd yn ofn wrth i mi agosáu at y babell. Roedd Math yn siarad efo rhywun! Pwy yn y byd oedd wedi dod o hyd i'n cuddfan yn Nhonfannau?

"Dan ni wedi bod yn pysgota,' meddai Math yn ddigon siriol. 'Mi brynodd Twm rwyd i mi.'

Clustfeiniais i glywed yr ateb, er mwyn cael clywed llais pwy bynnag oedd yn y babell efo Math, ond fedrwn i ddim clywed 'run smic.

"Dan ni wedi bod yn bwyta'r pysgod. Fi sy'n eu coginio nhw. Mae Twm yn dweud eu bod nhw'n blasu'n well nag unrhyw beth mae o wedi'i gael o'r blaen.'

Roedd hyn yn rhyfedd. Er y credai rhai pobol fod Math yn wallgof, fyddai o ddim fel arfer yn siarad â fo'i hun. Ac eto, fedrwn i ddim clywed unrhyw un arall.

'Na chewch, sorri Mam, chewch chi ddim siarad efo Twm. Mae o wedi mynd i'r siop. Mi wna i ofyn iddo fo'ch ffonio chi'n ôl.'

Wrth gwrs! Ar y ffôn roedd o! Teimlais ryddhad yn golchi drosta i, ond dim ond am eiliad fer. Roedd Math ar y ffôn efo Mam! Roedd o'n siŵr o fod wedi datgelu nad oeddan ni yng Nghaerdydd efo Dad!

Gollyngais y siopa ar y gwair a rhuthro i mewn i'r babell. Eisteddai Math a'i goesau fel coesau teiliwr, ei bapur a'i bensiliau ar y sach gysgu o'i flaen.

'Mae Twm newydd ddod yn ôl, Mam. Ta-ta.'

Pasiodd y ffôn fach i mi, cyn troi yn ôl at ei lun.

'Helô, Mam?' gofynnais yn nerfus, gan drio swnio'n normal. Ro'n i mor siŵr y byddai Math wedi datgelu'r gwir a dweud lle roeddan ni. Ro'n i'n sicr y byddai hi'n gweiddi'n wyllt arna i.

'Sut wyt ti, 'ngwas i?'

Ochneidiais mewn rhyddhad. Rywsut, roedd Math wedi cael sgwrs efo Mam a doedd o ddim wedi datgelu lle roeddan ni. Prin y medrwn i goelio'r peth. 'Grêt, diolch Mam. A chitha?'

'Iawn, pwt. Mae Math yn swnio'n... wahanol.'

Edrychais draw at fy mrawd. Roedd o'n canolbwyntio'n llwyr ar yr wynebau yn ei lun, pob un yn ddi-wên ac yn llawn difrifwch. 'Ydi o?'

'Bobol bach, yndi! Ydi o'n dweud y gwir am yr holl betha dach chi wedi bod yn 'u gneud?'

Llyncais fy mhoer yn nerfus. 'Be ddywedodd o?'

'Dweud eich bod chi wedi bod ar fws, ac ar drên... wedi bod yn pysgota... bod o wedi coginio.'

Swniai Mam yn amheus a fedrwn i ddim gweld bai arni. Roedd hi mor hawdd anghofio bod bron pob profiad a gawsai Math yma'n brofiad newydd.

'Mae o'n dweud y gwir, Mam. Mi fasech chi'n falch ohono fo.'

'Mae o'n bwyta pysgod?'

'O, yndi. Ac yn eu coginio nhw efo lemwn a thomato. Dyna un o'r petha hyfryta y ces i erioed.'

Bu saib ar ochr arall y lein, cyn i Mam ateb mewn llais bach, 'Chwarae teg i dy dad.'

'Be?' gofynnais yn syn. Do'n i ddim wedi sôn gair am Dad.

'Mae o'n amlwg yn gwneud ei orau efo Math, yn tydi? Yn mynd â fo i sgota, yn coginio efo fo. Roedd gen i deimlad ofnadwy y byddai o'n eich cadw chi'ch dau yn y fflat fel y gwnaeth o'r haf dwytha, ond ro'n i wedi gwneud camgymeriad mawr, mae'n amlwg.'

Roedd hyn yn sefyllfa anodd i mi, wrth gwrs. Do'n i ddim am i Mam boeni am Math na minna, ac roedd hi'n siŵr o deimlo'n well o ddychmygu bod y ddau ohonon ni'n mwynhau'n hunain efo Dad. Ond ar y llaw arall, do'n i ddim am iddi feddwl bod Dad mor arbennig. Fedrwn i ddim dioddef hynny, ac yntau wedi gwrthod Math a minna'r haf yma. Yr unig beth a ddywedais oedd, 'Peidiwch â phoeni am Math a minna, Mam.'

Penderfynais yn y fan a'r lle y byddwn i'n dweud wrth Mam fod Dad wedi bod yn hen gythraul, ond na fyddwn i'n dweud gair amdano nes ein bod yn cyrraedd adref. Erbyn hynny, byddai'n rhy hwyr iddi boeni.

'Dw i 'di gorffen pacio 'mhethau,' meddai Mam drachefn. 'Dw i a'r genod yn mynd ar y trên i Blackpool heno.'

Gwenais i mi fy hun. Y prif reswm pam roedd Math a minna wedi mynd ar y daith yma oedd i roi cyfle i Mam fynd ar wyliau efo'i ffrindiau. Prin y medrwn i goelio bod ein cynllun am weithio.

'Mwynhewch eich hunan, Mam. A pheidiwch â phoeni am Math a finna, 'dan ni'n hollol iawn.'

'Mi ffonia i pan ddown ni 'nôl.'

'Iawn.'

Byddai'n rhaid i mi alw yn llyfrgell Tywyn i lenwi batri fy ffôn. Roedd y ddynes dal yn siŵr o adael i mi ddefnyddio un o'r plygiau.

'Edrycha ar ôl dy frawd.'

'Wrth gwrs.'

'A Twm... Cofia fi at dy dad.'

Ar ôl i Mam roi'r ffôn i lawr, fedrwn i ddim yn fy myw â chael gwared ar y teimlad atgas ym mherfedd fy stumog. Roedd Mam yn meddwl bod Dad yn garedig efo Math, a rhywsut, roedd y celwydd yna'n dechrau teimlo'n fwyfwy creulon nag unrhyw gelwydd arall a ddywedais i cynt.

Roedd Math wedi gwirioni ar y sosban fach a brynais i. Mi awgrymodd y dylwn gerdded yn ôl i Dywyn yn syth i nôl pethau i'w coginio ynddi, ond gwrthod wnes i, wrth gwrs. Roedd hi'n stido bwrw, ac roedd fy nhraed i'n brifo ar ôl cerdded yr holl ffordd i'r dref ac yn ôl.

Wnaeth y glaw ddim amharu ar freuddwydion Math. Aeth yn syth allan efo'i rwyd bysgota a dal tri sgodyn mewn awr. Eisteddais yn y babell yn ei wylio. Roedd o'n gwisgo cot law, ond gwrthodai roi ei hwd am ei ben, ac felly glynai ei wallt at ei ben yn wlyb socian. Ar ôl dal a lladd y pysgod, daeth draw at geg y babell i dynnu eu hesgyrn a'u perfedd. Roedd fel petai wedi gwneud hynny ganwaith o'r blaen.

'Mae'r lle tân yn socian, Math,' meddwn i. 'A'r coed. Bydd yn rhaid i'r pysgod aros nes bydd hi'n sychu. Dim ots, mi brynais i fara a chaws.'

'Mi rois i orchudd dros y coed i'w gwarchod nhw rhag y glaw.'

'Gorchudd?'

'Ia. O fagiau plastig.'

Edrychais draw at y tywod. Tra bûm i'n siopa, roedd Math wedi rhwygo bagiau plastig i wneud un cynfas plastig mawr dros y lle tân a'r broc môr. Roedd cerrig trymion yn dal y gorchudd yn ei le. Mi fyddai'r coed yn sych grimp.

'Math, rwyt ti'n athrylith!' ebychais mewn syndod. Wnaeth o ddim ymateb.

Y noson honno, ar ôl i'r glaw beidio, aeth Math ati i goginio cawl pysgod, efo madarch yn arnofio arno. Er nad oedd yn edrych yn fawr o ddim, roedd o'n flasus dros ben. Cynigiais fynd i olchi'r sosban, ond gwrthod wnaeth Math. Roedd o am wneud y cyfan ei hun.

Yn hwyrach y noson honno, ymhell wedi iddi nosi, gorweddwn yn fy sach gysgu yn meddwl am Mam. Tybed oedd hi wedi cyrraedd Blackpool? Oedd hi'n cael hwyl? Oedd hi'n meddwl am Math a minna? Roedd hi wedi cael cymaint o syndod, ar y ffôn gynnau, i glywed am yr holl bethau roedd Math a minna wedi bod yn eu gwneud. Roedd hi'n bechod, mewn ffordd, na fyddai hi byth yn cael clywed y stori gyfan: sut roedd Math yn bihafio yn y babell; sut roedd o'n gwirioni ar fyw allan yn y wlad; y ffordd roedd o'n dangos gallu gwirioneddol i goginio a physgota. Y peth arall na allai Mam fyth wybod, wrth gwrs, oedd mai fi oedd yn edrych ar ei ôl o. Tybed a fyddai hi'n falch?

Caeais fy llygaid i drio cysgu. Yn fy ymyl, pesychodd Math yn ei gwsg. Daria, meddyliais, mi ddylwn fod wedi mynnu ei fod o'n gwisgo'i hwd yn y glaw gynnau. Y peth olaf ro'n i ei angen oedd i Math gael ei daro'n wael.

Mae'n od faint y gall pethau newid mewn diwrnod, yn tydi?

Mynnodd Math godi i wneud brecwast, fel arfer – bara wedi'i dostio dros y tân. Ond mi wyddwn i bryd hynny, hyd yn oed, bod rhywbeth o'i le. Pesychai Math byth a hefyd, ac roedd rhimyn coch o amgylch ei lygaid. Yn lle mynd am dro neu bysgota neu dynnu llun fel y byddai'n gwneud fel arfer, eisteddai Math yn y babell yn syllu allan dros y môr, heb owns o egni. Estynnais ei bapur a'i bensil iddo, ond wnaeth o ddim byd ond cymryd cip arnynt cyn troi 'nôl i wylio'r tonnau.

Wnaeth o ddim mynnu mai fo oedd i wneud cinio fel y gwnaethai ers dyddiau. Cymerodd ambell gegiad o fara a chaws, ond treuliai hydoedd i gnoi pob tamaid, cyn troi ei drwyn ar weddill y frechdan.

Dyna pryd y gwyddwn i fod Math yn sâl.

Dringodd i mewn i'w sach gysgu ynghanol y prynhawn, a throi ei gefn arna i. Eisteddais yno'n ei wylio, gan gnoi fy ewinedd yn nerfus. Fyddai Math byth yn gwrthod bwyd. Fyddai Math byth yn mynd i'w wely yn ystod y dydd.

Be o'n i i fod i'w wneud rŵan?

'Tydi o ddim yn sâl,' meddai Mam yn bendant, a braidd yn flin. Yn y 'sbyty roeddan ni, flynyddoedd yn ôl, pan oedd Dad yn dal o gwmpas.

'Gwranda ar y doctor, Menna,' ochneidiodd Dad. Edrychodd y meddyg ar ei nodiadau gan wrido, yn amlwg yn teimlo'n chwithig o fod ynghanol ffrae rhwng gŵr a gwraig.

Roeddan ni yno o achos Math. Er mai hogyn ifanc iawn oedd o ar y pryd, roedd pobol wedi dechrau sylwi ei fod o'n wahanol. Fyddai o ddim yn chwarae fel plant eraill, rywsut, a doedd ganddo ddim diddordeb mewn gwneud ffrindiau. Roedd o wedi dechrau nadu, ac roedd o'n strancio mwy nag unrhyw blentyn arall ro'n i'n ei adnabod.

Cafodd Dad drafferth i ddarbwyllo Mam fod angen gweld meddyg ar Math o gwbl. Byddai'r ddau'n cecru am y peth dros y bwrdd bwyd yn aml, fel tasa Math ddim yno i'w clywed nhw. Roedd o'n clywed y cwbl, wrth gwrs, ond ddywedodd o rioed 'run gair am y peth.

'Mae'n rhaid i ti ddechrau wynebu'r peth,' byddai Dad yn ei ddweud bob tro. 'Mae angen help arno fo.'

'Cymryd ei amser i dyfu mae Math,' atebai Mam, heb edrych i lygaid neb.

'Mae o'n fwy na hynny.'

Byddai'r ddau'n ffraeo wedyn: Mam yn dadlau mai pigo beiau oedd Dad, ac yntau'n ateb bod Mam yn methu derbyn bod rhywbeth go fawr yn bod ar Math, ac y byddai'n dioddef yn y tymor hir os na châi help proffesiynol. Mam fyddai'n gorffen y ffrae bob tro, drwy erfyn, 'Plis, Hywel, dim o flaen y plant.' Byddai hynny'n cau ceg Dad bob tro, er y byddai'r ffrae'n parhau gyda'r nos pan fyddai Mam a Dad yn meddwl bod Math a minna'n cysgu.

Bu'n rhaid i Mam newid ei meddwl ynglŷn â mynd â Math at y meddyg. Parti pen-blwydd oedd yn gyfrifol am hynny, i ddathlu hanner canfed y dyn ar draws y lôn. Roedd o'n barti a hanner, hefyd – castell bownsio mawr yn yr ardd ffrynt, clamp o farbeciw a phlant ym mhobman. Roedd y dyn wedi gwahodd ei holl wyrion a'i wyresau, a'r rheiny wedi dod â'u ffrindiau efo nhw. Ro'n i'n falch o weld ambell un o 'nosbarth i yn yr ysgol yno, ac mi ges i sbort ar y castell bownsio efo nhw, tan i Fflur Jên daflyd i fyny dros bob man ar ôl bwyta chwe chi poeth. Es i mewn i'r tŷ i chwilio am Mam a Dad a Math.

Yn y stafell fyw, roedd 'na griw o blant bach yr un oed â Math yn creu twrw a llanast, ac yn cael amser grêt yn chwarae a gwisgo i fyny. Safai'r mamau ar un ochr y stafell, a'u diodydd yn eu dwylo, yn sgwrsio ac yn cadw llygad ar y plant. Roedd Mam ynghanol sgwrs efo dynes arall, ond medrwn i weld nad oedd hi'n cymryd sylw go iawn. Syllai ar Math, a golwg bryderus ar ei hwyneb.

Eisteddai Math yng nghornel y stafell yn gwylio'r plant eraill, a golwg wedi diflasu'n llwyr ar ei wyneb. Roedd rhywun wedi rhoi car bach ar ei lin, ond wnâi Math ddim chwarae ag o.

Edrychai'n hollol chwithig.

Yn hwyrach, ar ôl i ni fynd adref, estynnodd Mam lond bocs o deganau o'r llofft a'u gosod nhw ynghanol llawr yr ystafell fyw. Fy hen deganau i oedden nhw, dynion bach plastig a hen garej efo moduron o bob lliw a llun. Arferwn chwarae â nhw drwy'r amser pan o'n i'n iau, ond ro'n i wedi tyfu'n rhy hen iddyn nhw erbyn hynny.

Cododd Mam un o'r dynion bach plastig a'i symud dros y carped tuag at Math, fel petai o'n cerdded. 'Helô, Math,' meddai Mam mewn llais dwfn fel llais dyn.

Rhoddodd Mam ddyn bach plastig arall yn nwylo Math.

'Be ydi dy enw di?' gofynnodd dyn bach plastig Mam i'r un yn nwylo Math. Syllodd Math ar Mam.

'Bili ydi f'enw i,' meddai Mam mewn llais dwfn.

'Naci,' atebodd Math yn bendant. 'Mam wyt ti.'

Gwnaeth Mam ei gorau i chwarae efo Math am ugain munud bron, ond wnaeth o ddim byd ond syllu arni. Gallwn weld ei bod hi'n dechrau ypsetio, ond cefais dipyn o sioc ei gweld hi'n ochneidio ar ôl ychydig, a dagrau'n powlio i lawr ei gruddiau. 'Pam na wnei di chwarae?' erfyniodd arno. 'Fel plant bach eraill?' Sychodd ei gruddiau â chefn ei llawes. Welais i rioed mohoni'n edrych mor dorcalonnus.

Y noson honno, dros swper, doedd dim ffrae. Dywedodd Mam yn dawel wrth Dad, 'Dw i 'di gwneud apwyntiad i Math weld Dr James.' Edrychodd Dad i fyny o'i sbageti yn syn, cyn codi a rhoi ei fraich yn dynn amdani.

Erbyn i ni gyrraedd swyddfa'r arbenigwr yn yr ysbyty, dw i'n meddwl bod Mam wedi difaru mynd â Math at y meddyg. Roedd ei hwyneb yn brudd, fel petai'n well ganddi fod yn rhywle arall.

'Rydan ni wedi siarad efo Math, wedi treulio tipyn o amser yn ei gwmni o, fel rydach chi'n gwybod,' meddai'r meddyg ifanc. 'Mi wnaethoch chi'r peth iawn yn dod â fo aton ni.'

'Ydach chi'n gwybod be sy'n bod efo fo?' holodd Dad.

'Mae o'n gymhleth,' esboniodd y meddyg. 'Mae gan Math lawer o symptomau, llawer ohonyn nhw'n rhai eithafol.'

''Swn i ddim yn mynd mor bell â hynny...' dechreuodd Mam.

'Fel llawer o blant tebyg iddo fo, tydi Math ddim yn

ffitio i mewn i unrhyw gategori. Mae ganddo gymysgedd o gyflyrau.'

Nodiodd Dad, ei wyneb yn llwyd. Edrychodd Mam ar ei dwylo.

'Wrth gwrs, mi gewch chi lawer o gefnogaeth i'ch helpu chi efo Math, ac mi wnawn ni gysylltu efo'r ysgol i drefnu bod Math yn cael pob chwarae teg efo'i addysg.'

'Dw i ddim am iddo fo gael ei drin yn wahanol,' meddai Mam mewn llais cryg, llais a ddaeth â lwmp i'm llwnc.

'Mi wnawn ni'n gorau drosto fo,' atebodd y meddyg yn glên. Bu saib bach cyn iddo besychu yn dawel ac ychwanegu, 'Mi hoffwn i ddweud un peth pwysig wrthoch chi. Mae llawer o rieni'n rhoi'r bai arnyn nhw eu hunain pan fydd pethau fel hyn yn digwydd. Yn meddwl y byddai pethau'n wahanol tasan nhw wedi bod yn rhieni gwell. Tydi hynny ddim yn wir o gwbl. Mi fyddai Math wedi bod fel hyn, waeth beth fyddech chi wedi'i wneud.'

Cuddiodd Mam ei llygaid â'i dwylo. Roedd hi'n crio.

'Mae'r doctoriaid i gyd wedi crybwyll, Menna, ar ôl cwrdd â'r teulu, mor annwyl a charedig ydach chi wrth eich meibion. Rydach chi'n rhieni da.'

Rhoddodd Dad ei fraich am Mam, a rhoddodd hithau ei phen ar ei ysgwydd. Trodd Math i sbio arnyn nhw heb ddangos unrhyw emosiwn yn ei lygaid.

'Gawn ni fynd adref rŵan?' gofynnodd mewn llais fflat, diamynedd.

Mae pobol yn eich trin chi'n wahanol pan dach chi'n sâl, yn

tydyn Miss Jenkins? Bydd pawb yn cadw draw oddi wrth unrhyw un sy'n pesychu, neu'n tisian, neu pan fydd smotiau dros eu hwynebau.

Mi fyddech chi'n meddwl y byddai pobol yn ddigon call i sylweddoli nad oedd yn bosib dal un o'r cyflyrau oedd yn bod ar Math, ond tydi pobol ddim mor glyfar â dach chi'n meddwl. Mae pobol yn edrych arno fo'n rhyfedd, yn siarad dan eu gwynt, yn cadw draw oddi wrtho fel petai o'n jyrms i gyd.

Y gwir amdani oedd bod Math yn iach fel cneuen. Doedd o byth yn cael annwyd na ffliw, cyn iddo gyrraedd yma i Donfannau – dwn i ddim a welais i o'n tisian erioed. Roedd hyn yn ei gwneud hi'n llawer mwy dychrynllyd i mi, wrth gwrs, ond ceisiais ddarbwyllo fy hun mai annwyd bach oedd o, y byddai'n diflannu ar ôl ychydig ddyddiau.

Ro'n i'n anghywir.

Pennod 12

DDEUDDYDD AR ÔL fy ymweliad diweddaraf â'r siopau yn Nhywyn, ro'n i'n ystyried ffonio ambiwlans i Math.

Welais i rioed neb mor sâl. Roedd peswch Math yn swnio fel ffrwydrad yn ei frest, a byddai'n tisian byth a hefyd. Pan agorai ei lygaid, roeddan nhw'n goch, a doedd ganddo mo'r egni i adael y babell. Diflannodd ei chwant bwyd, a gwrthodai unrhyw ddiod. Er hynny, dechreuodd daflyd i fyny'n rheolaidd, gan lenwi bagiau plastig â hylif gwyrdd, drewllyd.

Gwnes i 'ngorau i beidio â mynd i banig a gwneud beth roedd o wedi bod yn ei wneud: pysgota, cynnau tân, hel broc môr. Ond roedd Math gymaint gwell na fi am wneud y pethau hynny. Un pysgodyn tila a ddaliais i, ac roedd hwnnw'n rhy fach i'w fwyta. Gwlychwyd y broc môr wedi i mi anghofio'i orchuddio â'r bagiau plastig, ac roedd y tân yn tueddu i ddiffodd yn reit sydyn ar ôl i mi ei gynnau o'n drafferthus.

Beth yn y byd o'n i'n mynd i'w wneud? Roedd hi'n amlwg fod angen meddyg ar Math, ond roedd ein meddyg ymhell i ffwrdd yng Nghaernarfon. Mi fedrwn i fynd ag o i'r ysbyty, ond mi fydden nhw'n siŵr o ofyn ble roedd Mam a Dad.

Yr unig beth i'w wneud oedd ffonio Mam.

Gwyddwn ei bod hi'n dod yn ôl o Blackpool y diwrnod hwnnw. O leiaf roedd hi wedi cael gwyliau, meddwn i'n dawel wrtha i fy hun, er mor flin a phryderus y byddai hi ar ôl derbyn galwad ffôn gen i. Roedd hi wedi cael llonydd am gyfnod, dyna oedd y peth pwysig.

Teimlai fy stumog fel petai 'na gant o nadroedd yn llithro dros ei gilydd yn fy mherfedd, gan wneud i mi deimlo'n swp sâl. Byddai Mam yn gandryll. Prin y medrwn i goelio mai dyma fyddai diwedd taith Math a minna. Roeddan ni wedi dod o hyd i le, a ffordd o fyw, oedd yn siwtio'r ddau ohonon ni. Ond rŵan, roedd hi'n amser ildio. Doedd y peth ddim yn deg.

Edrychais draw at Math, a'i wylio'n cysgu yng nghornel y babell. Roedd sglein chwys yn gorchuddio'i wyneb, a glynai ei wallt yn un swp gwlyb ar ei ben. Symudai ei wefusau, a oedd yn hollol ddi-liw, fel petai'n siarad â rhywun mewn breuddwyd.

Roedd o'n ddifrifol sâl. Roedd yn rhaid i mi ffonio Mam.

A'm dwylo'n crynu, estynnais y ffôn o'm bag, a dechrau deialu'r rhif. Roedd fy anadl yn drwm gan mod i ar fin cael ffrae fwyaf fy mywyd.

Dim ond dair gwaith y canodd y ffôn cyn y rhedodd y batri allan. Mae'n rhaid i mi gyfaddef mod i wedi teimlo rhyddhad.

'Math,' sibrydais yn dawel. 'Dw i'n mynd i'r dref i brynu rhywbeth i dy wneud di'n well.' Wnaeth Math ddim ymateb, felly gwnes yn siŵr bod y babell wedi'i chau'n dynn, a dechrau rhedeg nerth fy nhraed i gyfeiriad Tywyn.

Doedd fferyllfa Tywyn ddim yn fawr, ond roedd hi'n llawn dop o feddyginiaethau, colur, bwyd babi a phob mathau o bethau o bob lliw a llun. Wyddwn i ddim ble i ddechrau. Roedd cymaint o'r geiriau ar y bocsys a'r poteli'n anghyfarwydd i mi, a doedd gen i ddim syniad beth oedd yn bod ar Math.

'Ga' i dy helpu di?' gofynnodd llais y tu ôl i'r cownter. Dyn oedd yna, dyn ifanc efo gwallt tywyll mewn côt wen, hir. Edrychai i mi yn debycach i chwaraewr rygbi na fferyllydd, ond roedd o'n gwenu'n glên ac mi ro'n i angen help.

'Chwilio am rywbeth i 'mrawd ydw i. Tydi o ddim yn dda.'

'Be sy'n bod arno fo?'

'Wel, mae o'n pesychu ac yn tisian, a rŵan mae o wedi dechrau taflyd i fyny.'

Diflannodd gwên y fferyllydd yn syth, a theimlais gryndod yn fy stumog. Ro'n i'n siŵr ei fod o ar fin dweud y drefn.

'Ydi o wedi bod i weld meddyg?'

Ysgydwais fy mhen. 'Mae arno fo ofn meddygon.'

Craffodd y fferyllydd arna i am ychydig, fel petai o'n trio 'nallt i. Gallwn deimlo fy hun yn gwrido.

'Os ydi o mor sâl â hynny, mae o wir angen doctor. Ydi o'n bwyta? Yn yfed?'

Ysgydwais fy mhen unwaith eto. 'Toes ganddo fo ddim awydd.'

'Angen dŵr mae o, mae'n siŵr. Dyna sy'n ei wneud o'n sâl. Mae'n rhaid i ti wneud yn siŵr ei fod o'n yfed. Hyd yn oed os ydi o'n taflyd i fyny, mi fydd chydig o ddŵr yn siŵr o aros i lawr.'

'Grêt,' atebais yn werthfawrogol.

'Fedra i ddim rhoi unrhyw foddion cryf i ti a chditha heb bapur doctor, ond mi fedra i werthu chydig o'r powdr yma i ti. Mae o'n help i setlo stumogau. Rho fo mewn dŵr, a gorfoda dy frawd i'w yfed o.' Estynnodd y fferyllydd becyn bach glas oddi ar y silff. Wedi i mi dalu amdano a rhoi'r bocs ym mhoced fy nghot, trodd y fferyllydd ata i a holi, 'Ydi pob dim yn iawn?'

Gwenais arno, gan obeithio mod i ddim yn edrych yn rhy ffals. 'Yndi siŵr!'

'Mae o'n beth anghyffredin i frawd ddod i chwilio am foddion yn lle Mam neu Dad, ti'n gweld.'

'Mae Mam a Dad yn brysur iawn.'

'Wel, mi ddylen nhw wneud yr amser i fynd â dy frawd at y meddyg. Mae o'n swnio'n reit sâl.'

'Mi sonia i wrth Mam heno.'

'Gwna di hynny.'

Curai fy nghalon wrth i mi gerdded i lawr stryd fawr Tywyn. Roedd y fferyllydd yn amlwg yn fy amau o ddweud celwydd. Fedrwn i wneud dim ond gweddïo na fyddai o'n rhannu ei amheuon efo unrhyw un arall. Heglais hi'n syth i'r llyfrgell i holi a gawn i blygio batri fy ffôn yn y wal. O leiaf mi gawn lonydd yn fanno.

Pan gyrhaeddais 'nôl at y babell, ro'n i'n hanner disgwyl y byddai Math wedi marw. Mae hynny'n teimlo fel peth ofnadwy i'w ddweud rŵan, ond mae'n hollol wir. Roedd o mor llipa pan adewais i ac o'n i wedi gorfod galw yn y llyfrgell i lenwi'r batri yn fy ffôn, a thra o'n i'n aros yno, wnes i ddim byd ond eistedd yn syllu drwy'r ffenest, yn gweddïo'n dawel y byddai 'mrawd yn iawn.

Bu bron i mi â chwydu wedi i mi agor y babell gan fod yr oglau mor ofnadwy. Gorweddai Math yn cysgu'n drwm, ond roedd ei sach gysgu wedi'i gorchuddio'n llwyr â chyfog gwyrdd.

Estynnais un o'r chwe photel ddŵr a brynais yn y dref, a'i chario i mewn i'r babell gan ofalu peidio â chyffwrdd yn y cyfog. Es i nôl ychydig o'r powdr a roddodd y fferyllydd i mi a'i ollwng yng ngheg y botel.

Yna, codais ben Math a'i orffwys ar fy nglin. Agorodd ei lygaid, a heb ddweud gair, agorodd ei geg wrth i mi symud y botel yn agosach at ei wefusau. Er mawr syndod i mi, yfodd ychydig o'r dŵr yn ddi-gŵyn.

Ar ôl rhoi'r top yn ôl ar y botel ddŵr, gosodais Math yn ôl i orwedd. Yn ofalus, tynnais y sach gysgu fudr oddi amdano a rhoi fy sach gysgu fy hun yn ei lle. Byddai'r afon yn golchi'r cyfog oddi arni mewn dim o dro.

Ond na. Roedd rhywbeth o'i le.

Roedd y sach gysgu'n llawer ysgafnach nag y dylai fod.

Cariais hi allan o'r babell a cherdded i lawr at y dŵr. Na, doedd dim pwysau ynddi o gwbl, ddim hyd yn oed ar ôl i mi ei throchi hi yn y dŵr. Wrth edrych ar y defnydd glas yn dawnsio yn llif yr afon, sylwais ar dwll mawr i lawr un ochr i'r sach gysgu.

Roedd yr holl wadin o ganol y sach gysgu wedi diflannu – doedd dim byd o gwbl ar ôl bellach, dim ond cynfas denau. Dim rhyfedd bod Math yn sâl, ac yntau wedi bod yn cysgu yn y sach hon ers tro. Doedd dim cynhesrwydd ynddi o gwbl.

Byddai unrhyw un nad oedd yn nabod Math yn pendroni sut yn y byd roedd y ffasiwn beth wedi digwydd, yn amau llygod, efallai. Ond nid fi. Dw i'n adnabod Math fel cefn fy llaw, ac ro'n i'n gwybod yn iawn beth oedd wedi digwydd i ganol y sach gysgu.

Roedd Math wedi'i fwyta fo.

Roedd yr holl beth yn eitha doniol, mewn ffordd. Byddai Math yn bwyta drwy'r dydd, bob dydd, petai o'n cael ei ffordd. Roedd o'n meddwl am fwyta bob munud, yn gofyn i Mam beth oedd i swper cyn iddo orffen ei ginio. Mae'n rhyfedd ei fod o mor denau, achos roedd o'n bwyta mwy na neb arall ro'n i'n ei nabod.

Ar ôl i Dad symud i Gaerdydd, sylwodd Mam a minna fod Math wedi dechrau deffro'n aml yn y nos. Ro'n i wedi agor fy llygaid ambell fore a gweld Math yn eistedd ar fy ngwely, yn syllu arna i'n cysgu. Soniais am hyn wrth Mam.

'Mae'r peth yn eitha naturiol, wsti,' atebodd hithau'n wybodus. 'Hiraethu am dy dad mae o. Dw inna wedi deffro ambell waith ynghanol y nos yn ddiweddar, yn ei glywed o i lawr y staer.' Rhoddodd ei braich amdana i. 'Mi fydd o'n iawn ar ôl i bethau setlo.'

Ychydig wythnosau'n ddiweddarach, a Math a minna'n cael brecwast yn y gegin yn ein pyjamas, daeth Mam i mewn i'r gegin a sefyll wrth ymyl y bwrdd, yn craffu ar Math. Daliodd hwnnw ati i fwyta'i dost.

'Math, dw i newydd newid y dillad gwely,' meddai Mam yn dawel. Ddywedodd Math 'run gair.

'Gwranda arna i, Math. Oes 'na rywbeth liciet ti ei ddweud wrtha i?'

Ysgydwodd Math ei ben, gan gnoi'n ddiwyd.

'Be sy 'di digwydd?' mentrais holi'n araf.

'Dw i ddim yn siŵr,' atebodd Mam, gan ddal i syllu ar Math. 'Yr unig beth dw i'n ei wybod ydi mod i wedi newid eich cynfasau chi'r wythnos diwetha, ac roedd popeth yn iawn. Erbyn hyn, mae hanner perfedd gobennydd Math wedi diflannu.'

'Be?' holais mewn syndod. 'Be dach chi'n feddwl?'

'Y darn yng nghanol y gobennydd hwnnw, sydd fel gwlân cotwm!' esboniodd Mam yn bigog. 'Mae 'i hanner o wedi diflannu. Be wnest ti efo fo, Math?'

Nid atebodd Math. Doedd 'na ddim diben holi ymhellach. Os nad oedd Math am ateb, fyddai o ddim yn gwneud a dyna ddiwedd arni. Ysgydwodd Mam ei phen hefyd, yn methu dallt.

Hynny yw, tan iddi ffonio'r arbenigwr yn yr ysbyty i gael ei farn o. Roedd hi ar y ffôn am amser hir, ac ar ddiwedd y sgwrs eisteddodd am rai munudau'n syllu i nunlle. Yna, daeth i'r ystafell fyw lle roedd Math a minna'n gwylio cartŵns.

''Dw i newydd fod ar y ffôn efo Doctor James,' meddai dros sŵn y teledu. 'Roedd ganddo fo ddiddordeb mawr iawn yn yr hyn ddigwyddodd i dy wely di, Math.'

Chymerodd Math ddim mymryn o sylw ohoni.

'Mae o'n nabod llawer o blant tebyg i ti, Math, ac mae o'n dweud ei fod o wedi dod ar draws achosion fel hyn o'r blaen.'

Syllai Math ar y sgrin.

'Dwed y gwir wrtha i... Wnest ti fwyta'r tu mewn i'r gobennydd?'

Prin y medrwn i goelio 'nghlustiau. A dweud y gwir, ro'n isio chwerthin. Mae'n rhaid bod Mam yn mynd yn dw-lal!

'Peidiwch â bod yn wirion!' atebais ar ran Math. 'I be fasa fo'n gwneud y ffasiwn beth? A beth bynnag, fyddai o byth yn medru bwyta cymaint â hynna mewn wythnos!'

'Shwsh am funud, Twm,' mynnodd Mam. 'Math?'

Ddywedodd Math 'run gair. Diffoddodd Mam y teledu, cyn sefyll o'i flaen a'i breichiau wedi'u plethu. 'Wel?'

'Rho'r teledu 'mlaen!' gorchmynnodd Math. Roedd o'n amlwg yn gwylltio.

'Mi wnest ti, yn do?' holodd Mam, yn edrych yn ddigon blin ei hun. 'Mi wnest ti fwyta hanner dy obennydd! Be ddoth dros dy ben di?'

'Dw i isio gwylio'r teledu!' gwaeddodd Math.

'Ateb fi! Pam wnest ti o?'

'Achos ro'n i isio teimlo'n llawn!' sgrechiodd Math nerth esgyrn ei ben, cyn rhedeg i fyny'r grisiau yn flin.

Ers y digwyddiad efo'r gobennydd, roedd Math wedi cael ei ddal ambell dro'n bwyta pethau rhyfedd – sbwnj o'r stafell molchi, y tu mewn i hen dedi bêr. Roedd Mam wedi dweud wrtha i y byddai Math yn gwneud hyn pan fyddai o'n pryderu am rywbeth, neu o dan bwysau. Roedd Doctor James wedi esbonio wrthi nad trio cambihafio oedd Math, ond trio teimlo'n well. Sut roedd bwyta dillad gwely'n mynd i wneud iddo fo deimlo'n well, dwn i ddim, ond dyna fo, mae 'na lawer dw i ddim yn ei ddallt am fy mrawd.

Doedd fawr o bwynt arthio arno fo am fwyta'r wadin o'r

sach gysgu, ddim ac yntau mor sâl. Wnes i ddim byd ond ochneidio, a golchi gweddillion y sach gysgu yn yr afon. Gosodais hi ar y tywod, wedyn, efo cerrig yn y corneli i'w dal i lawr, gan obeithio y byddai'r glaw yn cadw draw yn ddigon hir fel ei bod yn sychu.

Wnes i ddim byd am rai oriau ond eistedd yn y babell, yn deffro Math bob hyn a hyn i roi mymryn o ddŵr iddo – o leia roedd o'n gynnes rŵan. Er mod i wedi rhoi fy sach gysgu iddo fo, doedd o'n edrych fawr gwell, ond wnaeth o ddim taflyd i fyny, chwaith. Wrth i'r haul fachlud y tu allan i'r babell, syrthiais innau i gysgu.

Heb sach gysgu, chefais i ddim noson dda, gan ddeffro bob hyn a hyn bron â fferru. Wnes i ddim cysgu am hydoedd cyn syrthio i drwmgwsg go iawn pan oedd y wawr yn torri, ac erbyn hynny, ro'n i wedi ymlâdd.

'Dŵr,' crawciodd Math, ac agorais fy llygaid yn sydyn. Ro'n i wedi bod ynghanol breuddwyd am flancedi a chlustogau, ac yn dal i fod rhwng cwsg ac effro. Edrychais o 'nghwmpas. Roedd Math yn eistedd i fyny.

'Wyt ti'n iawn?' codais ar fy eistedd, yn meddwl tybed oedd o'n mynd i daflyd i fyny eto.

'Dw i isio dŵr.'

Estynnais draw at y poteli dŵr, ac agor un newydd sbon. Cododd Math y botel at ei geg a llyncu ei hanner yn syth. Torrodd wynt yn uchel, cyn gorwedd i lawr drachefn a throi ei gefn arna i.

Gwenais yn flinedig. Doedd Math prin wedi symud ddoe – siawns bod y ffaith ei fod eisiau diod heddiw yn arwydd da?

Dwn i ddim beth oedd yn y powdr a werthodd y fferyllydd yn Nhywyn i mi, ond mi wnaeth wyrthiau i Math.

Wnaeth o ddim gwella'n syth bìn, wrth gwrs, ond yn araf bach, mi ges i arwyddion fod yr hen Math ar ei ffordd yn ôl. Ganol y bore, eisteddodd yn y babell yn gwylio'r môr, a'r prism yn dynn yn ei law. Dwn i ddim be ddenodd o at yr hen ddarn bach yna o wydr, ond roedd yn amlwg ei fod o'n cael cysur mawr wrth ei ddal yn ei ddwylo, ac felly do'n i ddim am ddweud gair. Diwedd y prynhawn, bwytaodd hanner rôl gaws. Erbyn diwedd y dydd, roedd mymryn o liw yn ei ruddiau, ac roedd o'n gorfod mynd i wneud pi-pi bob hanner awr ar ôl yfed tair potelaid gyfan o ddŵr.

Y bore wedyn, cododd Math cyn i mi gael cyfle i'w ddeffro'n iawn, ac erbyn naw o'r gloch roedd o wedi cynnau tân gwell nag y llwyddais i i'w wneud yn ystod ei salwch. Roedd o'n hwylio tost i frecwast. Gyda hynny, daeth sŵn cyfarwydd y ffôn o'r bag.

Ro'n i mor hapus o weld Math yn well fel na roddais i fawr o feddwl i ateb galwad Mam. Roedd hi, ar y llaw arall, mewn panig llwyr.

'Twm! Wnest ti drio fy ffonio i? Wyt ti'n iawn? Ydi Math yn ocê?'

''Dan ni'n ocê, Mam, peidiwch â phoeni.' Gallwn ei chlywed hi'n ochneidio mewn rhyddhad. 'Gawsoch chi amser da yn Blackpool?'

'Grêt, diolch. Pam gwnest ti ffonio, Twm? Oedd 'na broblem?'

Cofiais y teimlad cynhyrfus yn fy mol pan ffoniais i hi. Byddwn wedi bod mor barod i gyfadde'r cyfan wrthi am Math a minna bryd hynny.

'Dim o gwbl, Mam,' atebais yn gelwyddog. 'Jest isio dweud wrthych chi am beidio poeni amdanon ni o'n i.'

'Diolch byth. Ro'n i'n meddwl mod i wedi colli fy ffôn, ti'n gweld, ond roedd o yng ngwaelod fy nghês i...'

'Peidiwch â phoeni, wir!' erfyniais. ''Dan ni'n cael amser grêt.'

Ro'n i'n ei olygu o, hefyd. Rŵan bod Math yn gwella, mi fyddai'r ddau ohonon ni'n medru mynd yn ôl i fel roedd pethau cyn iddo fynd yn sâl: pysgota, cerdded, bwyta.

Ychydig wyddwn i ar y pryd fod Math a minna eisoes wedi cael ein noson olaf yn Nhonfannau.

Pennod 13

WHIW. DYMA I chi be ydi prosiect, yntê Miss Jenkins? Mae'n siŵr mai dyma'r tro cyntaf i chi dderbyn y ffasiwn gelc gan un o'ch disgyblion. Os ydach chi'n dal i ddarllen, hynny yw. Dw i'n synnu nad ydach chi wedi diflasu'n llwyr erbyn hyn, yn enwedig o gofio mai prosiect am Gymru ydi hwn i fod, nid am Math. Ond dw i wedi cyrraedd Tywyn, yn do, ac wedi disgrifio rhai o'r llefydd ar y ffordd. A tydi Tywyn ddim yn bell o fod hanner ffordd i lawr arfordir Cymru.

Un diwrnod, mi hoffwn i fynd yn ôl i Donfannau. Roedd 'na awyrgylch arbennig yn y lle, a rhyw heddwch hyfryd ar lannau'r dŵr. Dw i wedi sbio ar fy mapiau ar ôl dod adref (anrheg Dolig gan Nain a Taid na feddyliais y byddwn i'n eu defnyddio byth) ac wedi dysgu mai afon Dysynni oedd yn llifo heibio Math a minna i'r môr. Mi hoffwn i dreulio mwy o amser yno, achos dw i'n meddwl ein bod ni wedi gorfod gadael yn rhy fuan. A'r cyfan o achos rhu'r beic pedair-olwyn a chwalodd heddwch Tonfannau'r amser cinio hwnnw.

Edrychodd Math a minna i fyny o'n brechdanau selsig. Roedd y sŵn wedi dod mor sydyn, sŵn injan fawr fel hen wenynen flin. Rhuodd y beic cwad tuag aton ni.

Dw i wedi clywed rhegfeydd yn fy nydd, ond do'n i erioed wedi clywed cymaint efo'i gilydd mewn un frawddeg. Yn wir dw i wedi penderfynu peidio â dweud be waeddodd y dyn yna ar Math a minna. Wn i ddim pwy oedd o, ond mi regodd y dyn arnon ni nes bod ei wyneb o'n goch. Ro'n i'n ysu am gael dweud wrtho fo ei bod hi'n biti nad oedd ei fam wedi dysgu manars iddo fo pan oedd o'n hogyn bach. Ond roedd o'n ddigon dig yn barod ac, a dweud y gwir, tydw i byth yn ddigon dewr i ddweud pethau fel 'na wrth oedolion, waeth pa mor ddigywilydd ydyn nhw.

A bod yn deg, mi ostegodd ei dymer rhyw fymryn pan welodd o nad oedd Math a minna'n mynd i ddadlau efo fo. 'Dw i'n gwybod ei fod o'n lle braf i gampio,' meddai, yn dal yn flin. 'Ond rydach chi'n cymryd mantais, yn dŵad yma heb ofyn caniatâd, a heb gynnig talu! Be tasach chi'n colli rheolaeth ar y tân? Be tasa rhywbeth yn mynd o'i le? Mi faswn i mewn trwbwl wedyn!'

Wrth adael gwaeddodd y dyn, 'Mi fydda i 'nôl mewn awr, ac ma'n well i chi 'i heglu hi o 'ma cyn hynny, dalltwch! Tydi hi ddim yn saff i ddau hogyn ifanc fel chi fod ynghanol nunlle. Mae 'na ddigon o lefydd gwersylla iawn yn y parthau yma, wchi!'

Mae hi'n biti mawr na chafodd Math a minna gyfle i ffarwelio'n iawn â Thonfannau gan i ni fod yn rhy brysur yn stwffio pethau i mewn i fagiau a phacio'r babell. Er na ddywedodd o 'run gair, gwyddwn fod Math yn siomedig ei fod yn gorfod gadael. Gofynnodd ble bydden ni'n mynd nesa, a phan na fedrwn i ateb, holodd, 'Fydd afon yna, a lle i wneud tân?' Bu'n rhaid i ni gerdded i Dywyn efo'n paciau trwm ar ein cefnau. Edrychai fel petai ar fin glawio unwaith eto, ond er hynny, roedd strydoedd Tywyn yn brysur, a phobol yn gwisgo sbectols tywyll a siorts fel petai gwisgo felly'n ddigon i newid meddwl y tywydd.

Wrth lwc, roedd rhes o bobol ar ochr y stryd yn aros am

fws, ac felly gwyddwn fod un yn siŵr o gyrraedd cyn bo hir. Ymhen pum munud, roedd Math a minna'n eistedd ar fws, ac 'Aberystwyth' wedi'i sgwennu mewn llythrennau breision ar ei dalcen.

Ro'n i'n gwybod am Aberystwyth cyn hyn gan fod eu tîm nhw wedi curo tîm y dre yn semi-ffeinals y cwpan ddwy flynedd yn ôl. Wyddwn i ddim llawer am y lle, er mod i wedi gweld rhaglen ar yr adar o dan y pier. Roedd Math a minna wedi bod yn berffaith hapus yn Nhonfannau, a do'n i ddim yn fodlon bod y dyn hwnnw wedi'n gorfodi i adael. Treuliais yr holl siwrnai'n meddwl pethau cas am y dyn blin ar y beic cwad. Daria fo!

Yn hwyr yn y prynhawn y cyrhaeddodd y bws orsaf bysiau brysur Aberystwyth. Ro'n i'n chwysu cyn i mi gamu i'r stryd, hyd yn oed, gan ei bod hi mor brysur, a theimlwn yn nerfus – yn ofni y byddai Math yn siŵr o ddechrau nadu.

Roedd y stryd yn ferw o bobol yn mynd a dod, pawb yn brysio ar hyd y palmant a'r ceir yn canu cyrn ar y lôn wrth i'r traffig araf symud dow-dow. I'r chwith i ni roedd adeilad mawr, crand – tafarn, a edrychai fel petai ganddi hi orffennol difyr. Wrth gerdded, sylwais fod pawb fel petaen nhw'n croesi'r lôn, felly dyna wnaeth Math a minna hefyd, wedi i olau gwyrdd y traffig newid yn goch ac i'r dyn gwyrdd fflachio gan ganiatáu i ni groesi.

Roedd Aberystwyth yn orlawn. Doedd y palmentydd ddim yn ddigon llydan i ddal yr holl bobol, felly byddai ambell un yn gorlifo i'r ffordd, gan wylltio gyrwyr y ceir a gwneud iddyn nhw ganu eu cyrn. Doedd o'n ddim syndod i mi weld Math yn dechrau blincio'n aml, yn agor a chau ei ddyrnau dro ar ôl tro. Dyma oedd uffern iddo fo – tyrfa o bobol, sŵn mawr, a cheir yn gwibio heibio ym mhobman. Cyn i ni gyrraedd pen y stryd, roedd o wedi dechrau nadu, ei 'mmm, mmm, mmm' a hwnnw'n codi'n uwch ac yn uwch.

'Plis, paid,' ysgyrnygais drwy 'nannedd wrth weld pobol yn dechrau syllu. 'Plis, Math.'

Dechreuodd pobol symud o ffordd Math, fel petai arnyn nhw ei ofn. Aethon ni heibio i griw o hogiau ifanc, 'run oed â fi, a safai mewn drws siop. Roeddan nhw'n chwerthin wrth glywed synau Math, ac ro'n i eisiau rhoi stîd iawn iddyn nhw.

Dal i gerdded wnaeth Math a minna, heibio stryd lydan, brysur a siopau ar bob ochr iddi. Feddyliais i ddim i ble ro'n i'n mynd, dim ond bod yn rhaid i mi ddod o hyd i rywle tawel. Ymhen ychydig, wrth i mi gerdded yn gyflym a Math yn nadu yn fy ymyl, daeth arogl cyfarwydd i fy ffroenau. Y môr!

'Tyrd, Math,' meddwn, gan drio swnio'n siriol. 'Mae glan y môr ffordd hyn.'

Wnaeth Math ddim dangos ei fod o'n fy nghlywed i, ond dw i'n siŵr i'w nadu o dawelu rhyw fymryn wedi iddo sylweddoli fod y môr yn ymyl.

Ymhen munud neu ddau, safai Math a minna ar y promenâd yn gwylio'r môr o'n blaenau, a hwnnw'n dawel ac yn wyrddlas ac yn ymestyn am filltiroedd i'r gorwel. Roedd rhyw filltir o bromenâd, a thraeth yn cyrlio o'i amgylch, bryncyn uchel ar un ochr, a phier ar yr ochr arall. Roedd yr adeiladau a wynebai'r dŵr yn lliw hufen iâ – pinc, gwyn, gwyrdd golau, oren – ac yn grand. Yn bwysicach na hyn i gyd, roedd y promenâd yn dawelach na chanol y dref. Roedd amryw o bobol yn cerdded neu'n loncian ar lan y dŵr, ac eraill yn eistedd ar y meinciau'n mwynhau'r olygfa, ond roedd yr awel braidd yn rhy fain i ddenu pobol i dorheulo. Sefais ar y palmant yn edrych ar y môr, a safodd Math wrth fy ymyl, yn dal i nadu, gan symud ei bwysau o'r naill droed i'r llall.

'Be sy'n bod?' gofynnais braidd yn ddiamynedd. 'Tydi hi ddim yn brysur yn fa'ma!'

'Yndi!' cyfarthodd Math yn biwis, yn ddigon uchel i dynnu sylw pobol. Roedd ei dalcen wedi crychu, a gallwn weld o'r olwg ar ei wyneb ei fod o mewn hwyliau drwg. Ochneidiais. Roedd o wedi bod mor dda yn ystod ein cyfnod yn Nhonfannau, heb nadu na gweiddi o gwbl. Roedd o wedi bod fel person gwahanol – fel brawd go iawn. A rŵan, roedd yr hen Math yn ôl, a minna'n gorfod gofalu amdano, poeni yn ei gylch, ei drin o fel babi bach unwaith eto.

Roedd hi'n anodd dod o hyd i le tawel yn Aberystwyth, a'r unig le oedd yn plesio Math oedd y cysgod tywyll, creigiog o dan y pier. Hen le afiach, anghyfforddus oedd o, heb garreg lefn i eistedd arni, ond doedd neb o gwbl o gwmpas. Pwy arall fyddai'n dod i'r ffasiwn le? Rhoddodd Math y gorau i'w nadu. Yn y diwedd, bu'n rhaid i ni eistedd ar ein bagiau, a bwyta bara oedd braidd yn sych gan i mi ei brynu yn Nhywyn ddyddiau yn ôl. Doedd Math ddim yn fodlon i mi ei adael i fynd i nôl bwyd, a doedd o ddim yn fodlon dod efo fi chwaith.

Ro'n i mor rhwystredig, mi allwn i fod wedi sgrechian.

Yno, ynghanol tref hyfryd Aberystwyth, oedd yn llawn adeiladau hardd a siopau bach difyr a llefydd da i fwyta, do'n i ddim yn cael manteisio na mwynhau dim arnynt. Teimlwn fel ysgwyd Math. Be oedd yn bod arno fo? Pam na allai o ddod i'r dref efo fi, cerdded y strydoedd, gweld sut le oedd Aberystwyth? Pam roedd yn rhaid iddo ddewis y lle mwya afiach a hyll yn y dref, lle mor ddiflas fel na fyddai neb arall am ddod yn agos ato? Roedd o'n fy atgoffa i o'r chwedl honno am y corrach cas oedd yn byw o dan y bont. Efallai nad oedd hwnnw 'ddim yn iawn' chwaith.

Wn i ddim pa mor hir yr arhosodd Math a minna'n eistedd o dan y pier yn Aberystwyth, yn gwylio'r tonnau. Buon ni yno am oriau, ond doedd gen i ddim byd o gwbl i'w wneud, dim byd ond meddwl. Doeddwn i ddim wedi sylweddoli rioed o'r blaen gymaint o amser fyddwn i'n ei dreulio yn chwarae gêmau, siarad ar y ffôn, neu wylio'r teledu i ddifyrru fy hun. Ers i ni gychwyn ar ein taith, ro'n i wedi cael oriau i wneud dim byd ond meddwl. Hel atgofion fyddwn i fwya, a deuai pethau ro'n i wedi hen anghofio amdanyn nhw yn ôl i mi. Tybed oedd Math yn gwneud hynny hefyd? Edrychais draw ato. Roedd o'n dal y prism yn erbyn ei foch, ac yn syllu allan ar y môr. Doedd o ddim wedi cymryd fawr o sylw o'r prism pan oeddan ni yn Nhonfannau, ond rŵan gan ei fod o'n ansicr unwaith eto, roedd y darn o wydr yn ôl, fel petai Math yn cael cysur mawr ganddo.

Esboniais wrth Math mod i wedi gweld rhaglen un tro am ŵr fu'n eistedd yn union yn yr un fan â ni, ond yn y gaeaf. Wrth i'r haul suddo ar y gorwel clywodd rhyw sŵn rhyfedd. Sŵn adar bach, miloedd ohonyn nhw yn gwneud twrw ofnadwy wrth i'r siapiau duon ddawnsio yn yr awyr uwchben y pier. Roedd 'na filoedd ohonyn nhw.

Hedfanai heidiau o'r adar bach tywyll gyda'i gilydd, yn troi yr un pryd, fel petaen nhw'n rhan o ryw grŵp dawnsio a'r rheiny wedi ymarfer gannoedd o weithiau. Yna, byddai un haid yn ymuno ag un arall, a phob aderyn yn hedfan ar y cyd 'nôl a 'mlaen, gan greu dawns fach hardd. Deuai mwy o heidiau i ymuno â nhw ac yna mwy eto, nes bod miloedd o adar yn dawnsio wrth iddi fachlud.

Yn araf, byddai ambell un o'r adar yn disgyn o'r haid, a dod o dan y pier i glwydo. Yno y bydden nhw'n treulio'r nos. Yna deuai ychydig mwy, ac ychydig mwy wedyn, nes bod y pier yn ferw o adar a'r rheiny'n trydar yn groch.

Gwrandawai Math arna i'n adrodd hanes yr adar yn gegagored. Trueni na chawson ni hefyd y mwynhad o'u gweld, ond yn y gaeaf y deuen nhw i'r pier i chwilio am loches. Eto i gyd, tybed beth fyddai ymateb Math wedi bod pe bai'r adar yno o dan y pier?

Erbyn hyn roedd yn dechrau oeri.

'Tyrd, Math.' Codais ar fy nhraed. 'Mi bryna i tsips i ti.'

Roedd hynny'n ddigon. Cododd Math a rhoi ei fag ar ei gefn.

Roedd Aberystwyth fin nos yn hynod o dlws. Disgleiriai'r goleuadau ar y dŵr, a safai'r adeiladau yn fawreddog a chrand. Roedd Math yn falch iawn o weld mai ond ambell berson a grwydrai'r strydoedd, a hynny'n dawel ac yn cymryd fawr o sylw o ddau fel ni. Crwydrodd y ddau ohonon ni i lawr y brif stryd siopa, a threulio rhyw ychydig yn syllu ar y ffenestri. Roedd hi'n bechod nad oedd y siopau'n agored gan mod i'n dal i ddefnyddio'r sach gysgu a'i chanol wedi'i fwyta. Gwelsom siop wersylla a fyddai'n sicr yn gwerthu sachau cysgu newydd sbon – a rhai cynnes iawn ar hynny. Mi fyddwn i'n fferru unwaith eto heno.

Ymlwybrodd Math a minna i fyny'r stryd a dod o hyd i siop tsips, a chaffi bach. Roedd ambell deulu yno'n cael swper, ond eisteddodd Math a minna'n ddigon pell yn y gornel a chael platiad o tsips a selsig yr un. Dangosai'r cloc ar y wal ei bod hi'n hanner awr wedi naw.

'Lle 'dan ni'n mynd i gysgu heno?' gofynnodd Math ar ôl iddo orffen bwyta.

'Tydw i ddim yn siŵr,' atebais, gan drio cuddio'r ffaith mod i'n bryderus. A hithau wedi nosi, doedd gen i ddim syniad ble i godi'r babell. Dechreuodd y panig gronni yn fy stumog, a fedrwn i ddim llyncu'n iawn. Bu'n rhaid i mi gymryd cegaid o ddŵr i gael gwared ar y belen o tsips yn fy llwnc.

Tydw i ddim yn meddwl i ni fod yn y caffi am amser hir iawn, ond pan ddaethon ni allan, roedd Aberystwyth wedi'i thrawsnewid unwaith eto. Gyda'r machlud wedi diflannu roedd awyr ddulas y nos wedi disgyn yn ei le. Yn bwysicach na hynny, roedd clystyrau o bobol wedi dechrau ymddangos ar y stryd, yn uchel eu cloch ac yn chwerthin fel ffyliaid. Ro'n i wedi gweld grwpiau fel hyn ar y stryd yng Nghaernarfon droeon, yn crwydro o dafarn i dafarn yn mynd yn wirionach ac yn dwpach wedi iddi nosi.

'Tyrd,' meddwn yn bendant wrth Math, gan wybod na fyddai o'n ymateb yn dda i griw o bobol feddw.

Ar ôl pasio ambell dafarn, a cherddoriaeth uchel yn pwmpio rhythm o bob un ohonynt, daeth Math a minna at eglwys fawr, hynafol yr olwg. Y tu hwnt i honno, roedd adfail mawr o gerrig llwyd, a'r cyfan wedi'i oleuo'n oren gan lampau oedd wedi'u gosod i'w ddangos ar ei orau.

'Castell!' meddai Math, a brysio tuag ato'n syth. Doedd gen i ddim dewis ond dilyn. Roedd angen amser arna i i feddwl ble yn y byd roedd y ddau ohonon ni'n mynd i gysgu.

Mae rhywbeth braidd yn frawychus am adfeilion, os dach chi'n gofyn i mi, ac roedd hwn yn un o'r rhai mwyaf iasoer a welais i erioed. A hithau'n nos, a'r golau oren yn taflu cysgodion dros y lawnt rhwng y waliau, dechreuais feddwl am yr holl straeon arswyd ro'n i wedi'u clywed.

'Mi fedrwn ni fynd yn ôl o dan y pier,' meddwn yn gyflym. 'Jest am noson. Fydd dim rhaid i ni godi'r babell. Mi fedrwn ni jest swatio yn ein sachau cysgu, a chodi'n gynnar i gael mynd o 'ma yn y bore.'

Er mor hyfryd oedd Aberystwyth, doedd y dref ddim yn plesio Math o gwbl. Ceisiais roi'r sach gysgu denau allan o'm meddwl. Un noson o dan y pier, ac wedyn mi fedren ni adael...

'Mi allwn ni godi'r babell yn fa'ma.'

Syllais yn gegrwth ar Math. 'Yn fa'ma? Yng nghanol castell Aberystwyth?'

Nodiodd Math. 'Mae'r tir yn wastad, ac mae lot o wair yma.'

Roedd o'n dweud y gwir, wrth gwrs, a fedrwn i ddim dechrau esbonio wrtho pan nad o'n i am gysgu yn adfeilion hen gastell ynghanol tref do'n i ddim yn ei nabod. 'Roedd arwydd ar y ffordd i mewn, 'Dim gwersylla'.'

'Oedd arwydd yn dweud 'Dim sachau cysgu'?' holodd Math yn ddifrifol. Ysgydwais fy mhen. Bodlonwyd Math gan fy ateb, yn amlwg, gan iddo fynd ati ar unwaith i dynnu'r sachau cysgu allan o'i fag.

'Ond Math,' dechreuais. 'Fedrwn ni ddim cysgu mewn castell!'

'Medrwn,' oedd ateb swta Math. Gorweddodd ar y gwair, ei gefn ata i, a'i wyneb wedi'i droi at un o'r waliau cerrig. Ochneidiais. Doedd dim pwynt dadlau â fo. Dyma lle bydden ni'n cysgu. Setlais ar y llawr wrth ymyl fy mrawd a thynnu'r sach gysgu dila drosta i.

Ro'n i bron â fferru.

Doedd gen i ddim syniad faint o loches roedd y babell yn ei chynnig i ni tan i mi orfod cysgu hebddi. Er nad oedd fawr ddim gwynt y noson honno, treiddiai lleithder y nos drwy 'nghot a'm jîns, a threuliais y rhan fwyaf o'r noson yn troi a throsi, yn crynu drosta yn yr oerfel ofnadwy. Cysgai Math yn dawel wrth fy ymyl.

Wrth i'r wawr dorri, dechreuais gynhesu'n raddol, a chysgais am ychydig mwy. Hynny yw, tan i mi gael fy neffro'n sydyn gan sŵn.

Sŵn agos iawn.

'Hyyyyyy!'

Eisteddais i fyny'n gyflym ac edrych o 'nghwmpas yn wyllt. Safai dyn ychydig fetrau oddi wrtha i, wedi plygu drosodd, yn chwydu'n swnllyd dros y gwair. Doedd o ddim yn hen – deunaw, efallai, ac roedd yn gwisgo jîns a chrys du wedi crychu ar ôl noson allan. Mae'n amlwg iddo 'ngweld i'n symud o gornel ei lygaid, achos trodd i syllu arna i, ei lygaid yn cymryd amser i ffocysu. Medrwn arogli'r cwrw a'r chwd. Roedd o'n feddw gaib.

'Hei...' Pwyntiodd ata i, ac wedyn at Math, a ddaliai i gysgu yn ei sach. 'Hei...'

Rhoddais gic sydyn i ddeffro Math. Cyn gynted ag yr agorodd ei lygaid, dywedais yn sydyn, 'Cwyd. Rho'r sachau cysgu yn y bag.' Edrychodd Math i fyny a gweld y meddwyn, ac ufuddhaodd yn syth. Welais i rioed mohono fo'n symud mor sydyn.

'Heeeei!' meddai'r meddwyn. 'Dim ond bechgyn ydych chi. Ddylech chi ddim bod yn cysgu fan hyn...' Siaradai'n araf, fel petai pob gair yn anodd ei ynganu. 'Ble mae'ch rhieni chi?'

Agorodd Math sip y bag ac edrych arna i. Doedd dim rhaid dweud gair. Gwyddai'r ddau ohonon ni beth i'w wneud.

Rhedodd Math a minna nerth ein traed. Galwodd y meddwyn ar ein holau, ond gan ei fod mor feddw, gwyddwn y byddai wedi anghofio popeth amdanon ni erbyn iddo sobri.

Tydi fy atgofion o Aberystwyth ddim yn rhai melys, felly. A dweud y gwir, ro'n i'n falch o gael neidio ar fws cynhara'r dydd, waeth i ble byddai o'n mynd. Ac eto, gallwn i weld, o dan amgylchiadau gwahanol, y medrai treulio amser yn Aberystwyth fod yn bleserus gan fod y dref mor dlws a bywiog. O leia medrwn i ddweud, yn wahanol i lawer iawn o bobol eraill, fy mod i wedi treulio noson mewn castell hynafol. Does dim angen i neb arall wybod pa mor ddychrynllyd o anghyfforddus oedd y profiad.

Pennod 14

MISS JENKINS, YDACH chi'n cofio'r trip ysgol i Langrannog? Mr Roberts Cymraeg oedd yn trefnu'r cyfan, chwarae teg iddo fo, ac mi aeth hanner fy mlwyddyn i. A dweud y gwir, ro'n i'n ffansïo mynd fy hun. Roedd 'na sôn bod beiciau modur pedair olwyn, ceffylau, a hyd yn oed lle sgio, yno. Mi benderfynodd fy ffrindiau a minna y bydden ni'n gofyn i'n rhieni am gael mynd. Pum diwrnod dros y Pasg oedd o, ac yn ôl Mr Roberts mi fyddai llawer o blant o ysgolion eraill yno hefyd. Ond allwn i ddim mynd...

Teimlai Mam yn ofnadwy ei bod yn gorfod gwrthod, roedd hynny'n amlwg. Gofynnodd i mi eistedd wrth y bwrdd, fel tasa rhywun wedi marw. 'Mi fedrwn i dalu hanner, Twm,' meddai, gan droi lliain y bwrdd rhwng ei dwylo. 'Ond dim mwy. Dw i wedi ffonio dy dad i ofyn fedrith o dalu yr hanner arall, ond mae o'n methu cyfrannu dim.'

'Does dim ots!' meddwn i, gan gasáu ei gweld hi'n poeni.

'Ond mae dy ffrindiau di i gyd yn mynd! Dw i ddim yn licio meddwl dy fod ti'n colli'r cyfle.' Ysgydwodd ei phen. 'Does 'na ddim ffordd yn y byd y medra i gynilo cymaint â hynny erbyn y Pasg...'

'Mae o'n swnio'n boring, beth bynnag.'

Ochneidiodd Mam, a syllu arna i fel tasa hi'n poeni'n ddirfawr amdana i. Dw i'n casáu pan ma' hi'n sbio fel 'na.

Ddywedais i 'run gair wrthi, felly, pan ddaeth pawb yn

ôl o Langrannog yn llawn hanesion am yr hwyl gawson nhw: bod dau o fy ffrindiau wedi snogio genod o'r Bala; bod y beiciau modur yn swnio'n gymaint o hwyl. Am wythnosau wedyn, ro'n i'n teimlo allan ohoni ynghanol fy ffrindiau. Fedrwn i ddim gobeithio cael mynd y tro nesaf, hyd yn oed, achos tyngodd Mr Roberts lw na fyddai o'n trefnu 'run trip ysgol arall wedi i Cai ddechrau cwffio efo boi o Lanelli, ac i Jasmine dorri'i braich ar y moto-beics.

Dyna pam y pwysais i'r botwm bach coch ar y bws oedd yn dweud STOP pan wnes i. Syrthiodd Math a minna i gysgu ar y bws ar ôl iddo adael Aberystwyth, a phan ddeffrodd y ddau ohonon ni, roedd y bws yn wag ac yn crwydro dow-dow ar hyd lôn fach. Doedd gen i ddim syniad ble roeddan ni, na pha mor hir y bûm i'n cysgu, ond pan welais i arwydd yn pwyntio at lôn fach i'r dde yn dweud 'Llangrannog, 2', penderfynais ein bod ni'n ddigon pell o Aberystwyth. Roedd yn ddiwrnod braf, wedi'r cyfan, a doedd dwy filltir ddim yn rhy bell i'w gerdded, oedd o?

Gwgodd Math arna i wrth i'r bws ruo i ffwrdd a'n gadael ni mewn cwmwl o fwg. Doedd o ddim yn rhy hapus i gael ei ddeffro. Mewn pentre bach oedden ni, a'r lôn trwyddo yn un ddigon prysur a siop fach mewn garej gerllaw.

Edrychais ar fy wats. Doedd hi ddim eto'n hanner awr wedi wyth.

'Tyrd, Math,' meddwn, gan geisio swnio'n llawen. ''Dan ni'n mynd i rywle grêt!'

Syllodd Math arna i'n ddig, ei ddwrn yn dynn o amgylch y prism.

Mae dwy filltir yn medru teimlo'n hir iawn, wyddoch chi.

Mae dwy filltir ben bore, heb frecwast yn y bol, a bag trwm ar eich cefn ar ôl noson ddi-gwsg – wel, mae'n teimlo fel deng milltir. Roedd y lôn yn un fach dlos, perthi uchel bob ochr iddi ac adar yn glwstwr ynddyn nhw, ond ro'n i'n ysu am gael lle i gysgu. Roedd cael fy neffro gan y dyn meddw hwnnw yn Aberystwyth wedi rhoi'r fath sioc i mi, ac ro'n i'n dal i grynu pryd bynnag y meddyliwn am ei wyneb chwyslyd a'i lygaid cochion.

Roedd hi'n teimlo fel oriau ac oriau yn ddiweddarach pan gyrhaeddon ni Langrannog, ond, yn ôl fy wats, dim ond am awr y buon ni'n cerdded. Edrychai Math wedi ymlâdd, fel petai ganddo ddim egni, hyd yn oed, i gwyno. Teimlwn yr euogrwydd yn dechrau fy mhigo. Ro'n i i fod edrych ar ei ôl o, a doedd gadael iddo gael noson ofnadwy o fewn muriau castell Aberystwyth ddim yn arwydd mod i'n llwyddo i wneud fy ngwaith yn dda iawn. Roedd yn rhaid i mi drio'n galetach.

Dechreuais deimlo'n well pan welais i'r môr. 'Sbia, Math.' Pwyntiais at y gorwel, a edrychai fel paradwys. Doedd Math ddim yn gwenu, ond goleuodd ei lygaid ac yn sydyn doedd o ddim yn edrych mor flinedig.

Er na fedrwn i weld 'run arwydd o foto-beics, ceffylau na lle sgio, pentref bach hyfryd oedd Llangrannog. A hithau mor gynnar yn y dydd, roedd hi'n dawel yma, a dim ond ambell un yn cerdded ei gi. Roedd siop fach, caffi a dwy dafarn, ac un o'r traethau bach hyfryta a welais i rioed. Codai'r creigiau yn uchel a thywyll o amgylch y bae, ac roedd yr hanner cylch o dywod a arweiniai at y dŵr yn euraid a glân. Roedd craig ddu enfawr yn codi o'r dŵr ar y traeth, a nythai gwylanod yn smotiau gwyn arni.

'Mae fa'ma'n llawer brafiach nag Aberystwyth,' meddai Math yn werthfawrogol. Gwenais yn dawel i mi fy hun. Mi fyddai llawer yn mwynhau prysurdeb ac awyrgylch Aberystwyth ond roedd tawelwch heddychlon Llangrannog yn plesio Math yn llawer gwell.

Roedd siop y pentref newydd agor, ac mi ges i a Math ddwy frechdan yr un yn frecwast. Prynais ambell i beth arall hefyd – bara, creision, bisgedi a siocled. Ond yna cefais fraw o weld cyn lleied o bres oedd gen i ar ôl. Un papur ugain, un pum punt, a llond llaw o newid. Busnes drud oedd bod oddi cartref.

Eisteddodd Math a minna ar feinciau i fwynhau'n brecwast a dotio at yr olygfa. Gan fod y bae yn gaeedig, roedd awyrgylch saff, glyd i'r lle, ac edrychai'r creigiau fel petaen nhw'n llawn ogofeydd a llecynnau bach difyr i'w harchwilio.

Ond dim rŵan. Yn gynta, angen cwsg oedd arna i a Math, ac ro'n i wedi sylwi bod arwydd gwersyll yn ein harwain i fyny'r bryn. Gora po gynta y bydden ni'n codi'r babell a chael y cwsg na chawson ni'r noson cynt.

Roedd y lôn i fyny'r bryn yn serth, a chwysai Math a minna wrth basio'r bythynnod a'r tai mawr crand a edrychai dros y dŵr. Ar ben y bryn, cymerodd y ddau ohonon ni saib fach, ac edrych i lawr tuag at y bae. Roedd o fel darlun ar flaen cerdyn post.

Safai Tŷ Cae Crannog ar ochr arall y mynydd, yn wyn ac yn dal ac yn reit fawreddog. Gallwn weld bod y cae y tu ôl i'r tŷ yn llawn pebyll a charafanau, a gweddïais fod lle yno i ni. Es ati i gnocio'r drws, a synnu o weld hogyn tua'r un oed â fi'n ateb.

'Ymmm… Chwilio am le i godi'n pabell ydan ni.'

Nodiodd yr hogyn ei ben a rhoi gwên fawr. 'O's, ma' lle ar ôl 'da ni. Odi ddi'n babell fowr?'

Syllodd Math ar yr hogyn fel petai o'n siarad Swahili, ond ro'n i wedi gwylio digon ar Pobol y Cwm i'w ddallt o'n siarad, er mor gryf oedd ei acen. 'Nac 'di,' atebais yn gwrtais. 'Oes ots gen ti lle 'dan ni'n ei gosod hi?'

'Dim ots o gwbl,' meddai'r hogyn, gan redeg ei fysedd drwy ei wallt lliw tywod. Roedd ganddo steil gwallt ffasiynol, â'r blew yn cyrraedd coler ei grys-T – steil na fyddai'n gweithio ond i rywun cŵl. Byddwn i fy hun yn edrych yn hollol wirion efo gwallt mor hir. 'Os chi'n moyn lle bach llonydd, bydden i'n mynd i gornel bella'r ca', ar y chwith.'

'Diolch,' atebais, mewn llais braidd yn gryg. Do'n i byth yn siŵr sut oedd siarad efo plant poblogaidd.

A minna wedi hen arfer codi'r babell, cymerodd hi lai na hanner awr y tro yma. Estynnodd Math ei bensil a'i bapur wrth i mi ei chodi, a dechrau ar lun newydd. Cyn gynted ag y trawais i'r peg ola i'w le, aeth Math i mewn i'r babell a chysgu'n syth, heb dynnu'i sgidiau nac estyn ei sach gysgu na dim.

'Beth yw'r stori, 'te?' meddai llais y tu ôl i mi wrth i minna fynd i mewn i'r babell ar ôl fy mrawd. Trois i weld y bachgen o'r tŷ yn sefyll yno'n droednoeth ar y gwair, yn syllu arna i â gwên fach ar ei wyneb.

'Iawn?' gofynnais, gan fethu dallt yn iawn be roedd o'n ei feddwl. Eisteddodd y bachgen a'i goesau oddi tano fel coesau teiliwr y tu allan i geg y babell. 'Llew odw i,' cyflwynodd ei hun. ''Wy'n byw 'ma.'

'Twm dw i. Dyma Math, fy mrawd.'

'O'r gogledd y'ch chi, ife?'

Nodiais. Do'n i ddim am ddweud o ble'n union. Craffodd Llew arna i.

'Beth sy'n mynd 'mla'n da chi'ch dou, 'te?'

Llyncais fy mhoer a theimlo fy nerfau'n dechrau pigo. 'Be ti'n feddwl?'

'Dou frawd, beth wyt ti, tair ar ddeg? Pedair ar ddeg? Pam y'ch chi ar 'ych penne'ch hunen?'

'Pedair ar ddeg, bron yn bymtheg! A tydi Mam a Dad ddim yn meindio.'

Chwarddodd Llew. 'Na fe, 'te. Do's dim rhaid i ti weud wrtha i os nag wyt ti am neud. Ond weden i ddim gair wrth neb os byddet ti.'

Wnes i ddim ateb. Be fedrwn i ddweud?

'Wyt ti'n syrffo?'

Ysgydwais fy mhen. Dylwn i fod wedi dyfalu bod Llew yn hoffi syrffio: roedd golwg fel 'na arno fo. Roedd o'n gwisgo mwclis o linyn du, hyd yn oed, a darn bach o bren efo siâp cynffon morfil yn crogi ohono. Fyddai 'run o'r hogiau'n meiddio gwisgo mwclis yn 'rysgol ni.

'Pêl-droed?'

'Yndw. Dw i'n chwarae i dîm iau'r ysgol.'

'Grêt!' Gwenodd Llew yn llawen. 'Ffansi gêm?'

Edrychais yn ôl tua'r babell lle cysgai Math yn dawel. Byddwn i wedi bod wrth fy modd yn cael gêm fach gan mod i'n chwarae bob dydd yn yr ysgol.

'Alla i ddim.'

'Wrth gwrs y galli di! Ma' fe mewn myn 'na'n ddigon hen i fod ar 'i ben 'i hunan am sbel.'

'Na, ti ddim yn dallt.' Gwridais wrth drio esbonio rhywbeth do'n i ddim yn ei ddeall yn iawn fy hun. 'Tydi Math ddim fel plant eraill.'

'A.' Nodiodd Llew fel petai o'n deall yn iawn. Chwarae teg iddo fo, doedd o ddim yn edrych yn chwithig o gwbl. 'Wel, sdim ots. Nawr, o's angen rh'wbeth arnoch chi?'

Ysgydwais fy mhen, yn falch na wnaeth o ofyn i mi ymhelaethu am Math. Wrth gerdded yn ôl tuag at ei dŷ, gwaeddodd dros ei ysgwydd y byddai o yn ei ôl i'n gweld ni'n hwyrach.

Ar ôl mynd i mewn o dan fy sach gysgu denau, gwnes fy ngorau i fynd i gysgu, ond rywsut, er mor flinedig o'n i, roedd fy meddwl yn mynnu troi a throsi. Roedd hi'n amlwg bod Llew yn awyddus i fod yn ffrind i mi, ond, oherwydd Math, do'n i ddim yn teimlo y gallwn i fynd yn rhy agos ato fo. Dim dyna'r tro cynta i hynny ddigwydd, ond doedd o ddim yn mynd yn haws o gwbl.

Bydd y rhan fwya o bobol yn teimlo braidd yn betrus wrth symud o ysgol gynradd i ysgol uwchradd – ychydig yn nerfus, a phopeth mor anghyfarwydd. Nid fi. Ro'n i wedi edrych ymlaen ers misoedd er na fyddwn i byth yn cyfadde hynny wrth neb.

Roedd bod yn yr ysgol gynradd yn golygu mod i'n gorfod rhannu ysgol efo Math, ac roedd hynny'n anodd. Yn yr ysgol uwchradd, mi gawn i dair blynedd i mi fy hun cyn i Math symud i fyny, ac roedd hynny'n apelio'n fawr ata i.

Mae hynny'n swnio'n ofnadwy, yn tydi? *Mae* o'n ofnadwy, ond mae o hefyd yn wir. Dach chi'n gweld, ro'n i'n gwneud ffrindiau'n grêt yn yr ysgol, ac yn tynnu mlaen yn dda efo'r rhan fwya o hogiau yn fy nosbarth. Ond fedrwn i byth gerdded i'r ysgol efo nhw. Wel, roedd angen rhywun i gerdded efo Math, yn doedd? Ambell dro, mi fyddai Huw, fy ffrind, yn cerdded adref efo Math a minna, ond fel arfer, mynd i Barc Coed Helen fyddai o am gêm o bêl-droed efo'r hogiau. Welwn i ddim bai arno fo. Byddwn inna wedi gwneud yr un fath tawn i'n medru... Roedd yr un peth yn wir amser egwyl ac amser cinio – doedd dim dweud pryd y byddai rhyw athro neu'i gilydd yn dod ata i ynghanol gêm o 5-bob-ochr i ddweud, 'Mae dy frawd yn nadu. Fedri di fynd ato fo i weld be sy'n bod?' Fuodd yr hogiau rioed yn gas wrtha i am y peth, chwarae teg iddyn nhw, ond mae colli un chwaraewr mewn tîm 5-bob-ochr yn golygu eu bod nhw'n siŵr o golli, ac ro'n i'n teimlo'n euog.

Roedd pethau wedi bod yn wahanol yn yr ysgol uwchradd. Gyda Math yn yr ysgol gynradd, ro'n i'n teimlo'n rhydd. Doedd dim rhaid i mi boeni am unrhyw un yn dod i chwilio amdana i yn ystod yr egwyl i gwyno am Math. Dechreuais ddod yn rhan o'r criw, yn rhannu jôcs ac yn actio'n wirion. Ro'n i'n rhydd a doedd dim angen i mi feddwl am neb heblaw mi fy hun. Roedd o'n deimlad anhygoel.

Wrth orwedd yn y babell yn Llangrannog a Math yn cysgu wrth fy ymyl, dechreuais feddwl sut fyddai pethau ar ôl y gwyliau. Byddai Math yn symud i fyny i fy ysgol i, a byddai'r patrwm yn siŵr o ailadrodd ei hun. Byddai galw arna i i edrych ar ei ôl o unwaith eto – a byddwn yn gorfod meddwl am Math, beth bynnag fyddwn i'n ei wneud.

Syllais ar Math yn cysgu'n dawel wrth fy ymyl, a theimlo'n euog yn syth. Doedd dim bai arno fo. Fi oedd yn hunanol.

Pennod 15

FEL ATHRAWES DAEARYDDIAETH, Miss Jenkins, bydd o ddiddordeb i chi wybod mai pentref bychan yng Ngheredigion yw Llangrannog, tua 95 milltir o Gaerdydd a 105 milltir o Gaernarfon. Y dref agosaf yw Aberteifi, ac mae'r pentref yn ddibynnol ar dwristiaeth i gadw'r siop a'r caffi ar agor.

Fel hogyn ifanc efo brawd sy'n 'wahanol', yr unig beth o ddiddordeb i mi oedd bod Llangrannog yn lle braf i dreulio dyddiau hirion, braf yn yr haf.

Y traeth! O, roedd o'n anhygoel. Byddai'r ymwelwyr yn tyrru yno yn ystod y dydd, a'r adeg honno mi fyddai Math a minna'n cadw draw. Ond wedi i'r bobol ei throi hi am adref, byddai'r ddau ohonon ni'n hel ein pethau ac yn cychwyn i lawr yr allt. A wyddoch chi be? Doeddan ni ddim ar ein pennau'n hunain.

Roedd Llew efo ni.

Welais i rioed rhywun yr un oed â fi oedd mor sicr a hyderus yng nghwmni Math. Doedd o ddim yn chwithig o gwbl, ond yn parablu â fo bymtheg y dwsin, hyd yn oed pan fyddai hi'n hollol amlwg nad oedd Math yn gwrando. Pan ddywedais i wrth Llew nad oedd Math am i ni fynd i lawr i'r traeth am nad oedd o'n hoff o bobol, wnaeth o ddim edrych arna i'n wirion fel y byddai'r rhan fwyaf o bobol wedi gwneud. Nodiodd, cyn ateb, 'Ie, wy'n cytuno 'da fe. Ma'r pentre'n galler bod mor llawn ar ddiwrnod twym.'

Dangosodd Llew lecynnau bach difyr Llangrannog i Math a minna. Ew, roedd 'na lawer ohonyn nhw. Roedd y creigiau'n llawn tyllau ac ogofeydd tywyll, y caeau'n frith o gwningod a sgwarnogod, dŵr y môr yn loyw a glân, a thrysorau o gregyn mawr gleision ar y traeth. Ambell waith, byddai brawd mawr Llew, Daf, yn ymuno â ni am dro i lawr i'r traeth, efo'i fwrdd syrffio dan ei fraich. Roedd Daf yn ddeunaw, newydd orffen yn yr ysgol, a gwên bob amser ar ei wyneb, fel tasa fo'n meddwl am bethau hyfryd o hyd. Ofynnodd o ddim gair am Math a minna, dim ond ein derbyn ni fel ffrindiau i Llew. Dywedodd Llew wrtha i un tro fod eu tad nhw, oedd yn blismon, wedi anobeithio am Daf gan ei fod o'n gorwedd yn ei wely tan ddau o'r gloch y pnawn ac yn gobeithio bod yn syrffiwr proffesiynol. Fedrwn i ddim deall sut y gallai unrhyw un deimlo felly amdano, ac yntau'n greadur mor hawddgar. Ro'n i'n sicr y byddai Dad yn hapus i gael meibion fel Llew a Daf – doedd o'n sicr ddim yn fodlon efo'r rhai oedd ganddo fo.

Y peth gorau am Llew oedd ei fod o'n barod i dderbyn nad o'n i am drafod pam roedd Math a minna yno ar ein pennau'n hunain. Ar ôl y diwrnod cynta yna, wnaeth o ddim holi o gwbl. Sylwodd ar stad fy sach gysgu, ac yn lle gofyn be ddigwyddodd iddi, daeth â'i sach gysgu ei hun o'r tŷ i mi, a gwrthododd gymryd unrhyw arian amdani. ''Wy ddim yn un am wersylla, ta beth. Sai'n gwybod sut y'ch chi'n galler 'i ddiodde fe!' Ysgydwodd ei ben wrth edrych ar ein pabell. 'Bydden i'n fodlon i chi aros yn y tŷ, ond bydde Dad yn siŵr o ofyn cwestiyne. Dyna'r drwg o ga'l tad sydd yn aelod o'r heddlu.' Petai Llew ond yn gwybod hanes Math a minna!

Roedd hi'n rhyfedd cael cwmni ar ôl i Math a minna fod ar

ein pennau'n hunain gyhyd. Cymerodd amser i ni'n dau ddod yn gyfarwydd â chwmni rhywun arall, ac ro'n i'n amau am ychydig na fyddai Math yn hoff iawn o Llew. Cefais fy siomi ar yr ochr orau. Roedd Llew yn gymeriad mor ddymunol; chymerodd Math fawr o sylw ohono, ond wnaeth o ddim cwyno, chwaith.

Er na wnaeth Llew ein holi ni am ein cefndir, roedd o'n ddigon parod i drafod ei hanes ei hunan. Roedd ei fam a'i dad wedi gwahanu'r llynedd, ac roedd ei fam wedi mynd i India am flwyddyn 'i ddod i nabod ei hun'. Gofynnais i Llew be roedd hynny'n ei olygu, ond tydw i ddim yn meddwl bod ganddo fwy o syniad na fi. Roedd ei dad yn glên, medda fo, 'mond ei fod o'n gweithio'n rhy galed.

'Ew, dw i ddim yn gwybod be faswn i'n ei wneud heb Mam,' meddwn i pan ddywedodd o hynny. 'Roedd Dad yn cymryd y goes yn un peth, ond Mam? Na.'

Cododd Llew ei aeliau arna i. Wyddai o ddim cyn hynny fod Dad wedi'n gadael ni.

'Wel, wy'n lwcus i ga'l Daf,' atebodd ar ôl meddwl. 'Jest fel y't ti'n lwcus o gael Math, yntyfe? Bydde pethe'n llawer mwy anodd i ni'n dou ar ein penne'n hunen.'

Atebais i ddim ar y pryd, ond y noson honno, a Math yn cysgu'n drwm yn fy ymyl, methwn gael sgwrs Llew a minna allan o'm meddwl. Er mawr gywilydd i mi, do'n i rioed wedi ystyried o'r blaen mor lwcus o'n i o gael Math. Am ei fod o mor wahanol i bawb, do'n i ddim wedi ystyried ond yr hyn do'n i ddim yn medru ei wneud o'i achos o. Roedd Llew yn gweld pethau'n hollol wahanol efo'i frawd ei hun.

Dychmygais am y tro cynta sut byddai bywyd petai Mam

wedi'i heglu hi, a Dad yn gofalu am Math a minna. Fedrwn i ddim meddwl am unrhyw beth gwaeth. Mam oedd wedi gwneud pob dim dros Math a minna erioed – coginio'n prydau, golchi'n dillad, gwneud yn siŵr ein bod ni'n mynd i'n gwlâu yn y nos. Mam oedd yn gwneud yn siŵr bod Math a minna'n teimlo'n saff. Ro'n i'n treulio cymaint o amser yn teimlo trueni drosof fy hun, wrth gael brawd fel Math a thad oedd wedi colli diddordeb ynon ni, feddyliais i rioed mor lwcus o'n i.

Yn sydyn, yn nhywyllwch y nos, daeth sŵn cyfarwydd o boced fy mag. Fy ffôn. Cymerais gip ar fy oriawr. Un ar ddeg o'r gloch! Pwy ar wyneb y ddaear fyddai'n rhoi caniad i mi mor hwyr y nos? Estynnais am y ffôn. Rhif Mam. Gwenais. Mae'n rhaid ei bod hi'n hiraethu am Math a minna go iawn wrth ffonio mor hwyr!

'Helô?'

'Twm!' sgrechiodd Mam yn wallgo. 'Twm!' Roedd fy stumog yn corddi. Yn amlwg, roedd rhywbeth o'i le.

'Dach chi'n iawn, Mam?'

'Lle dach chi?'

'Yn y llofft sbâr yn fflat Dad.'

'Paid â deud celwydda wrtha i, Twm!' gwaeddodd Mam, a dyna pryd y sylweddolais i fod Mam yn gwybod y gwir. Roedd fy nghynllun i wedi methu.

'Mam,' dechreuais, ond wyddwn i ddim beth i'w ddweud.

'Plis, Twm, jest deuda wrtha i lle ydach chi, ac mi ddo i i'ch nôl chi. Ydi Math yn iawn? Oes 'na bobol eraill efo chi?'

''Dan ni'n iawn,' atebais, mewn llais crynedig braidd.

'Sorri, Mam.' Pwysais y botwm bach coch i orffen yr alwad, ac yna diffoddais y ffôn. Fedrwn i ddim diodde clywed llais Mam. Roedd hi'n gandryll.

Eisteddais yn nüwch y babell, yn trio anadlu'n ddwfn i dawelu fy nerfau. Gallwn glywed curiad fy nghalon fy hun.

Be ar wyneb y ddaear o'n i'n mynd i'w wneud nesa?

Chysgais i ddim winc y noson honno. Eisteddais yn y babell yn ystyried beth fyddai'r cam nesaf. Dweud wrth Mam lle roeddan ni? Dyna oedd y peth call i'w wneud rŵan. Wedi'r cyfan, yr holl bwynt oedd rhoi hoe iddi hi, a fyddai hi'n amlwg ddim yn gallu gorffwys rŵan. Doedd dim byd i'w ennill o ddal ati i guddio, er mod i'n sicr o gael ffrae fwya' mywyd pan awn ni adref. Ond do'n i ddim yn barod i wynebu'r storm eto. Fedrwn i ddim.

Roedd un peth yn sicr. Unwaith roedd rhywun yn dechrau rhedeg i ffwrdd, roedd hi'n anodd iawn rhoi'r gorau iddi.

Cefais wybod yn hwyrach, ar ôl i ni fynd adref, be oedd wedi digwydd yng Nghaernarfon y noson honno.

Penderfynodd Mam y byddai'n ffonio Dad i holi sut roedd Math a minna. Roedd hi'n bwriadu diolch iddo am roi hoe iddi, hefyd. Teimlai fel dynes wahanol ar ôl ychydig ddyddiau i ffwrdd efo'i ffrindiau.

Roedd coblyn o sŵn yn y cefndir, meddai Mam wedyn, gan fod Dad mewn tafarn efo'i ffrindiau. Roedd o'n synnu clywed ganddi.

Fel hyn aeth y sgwrs.

'Sut ma'r hogia'?' gofynnodd Dad.

'Be?' Amheuai Mam mai jôc oedd hyn.

'Twm a Math! Dw i 'di bod yn meddwl, Menna, a falla...' Daeth llais dynes yn y cefndir yn siarsio Dad i frysio.

'Be ti'n feddwl, Hywel? Lle ma' Twm a Math gin ti?'

'Gin i? Be?'

Aeth hi'n saib hir wrth i'r ddau sylweddoli nad oeddan ni dan ofal yr un ohonyn nhw. Roedd y sgwrs ddigwyddodd wedyn wedi'i llywio gan banig llwyr. Gadawodd Dad y dafarn, a sefyll ar y stryd i gael clywed Mam yn iawn. Holodd a gafodd Mam yr e-bost. Aeth Mam ati i chwilota ar y cyfrifiadur, a dod o hyd i'r e-bost anfonodd Dad – yr un ro'n i wedi'i ddileu, a'r un a anfonais innau'n ateb. Roedd hi'n amlwg wedyn mai fi oedd yn gyfrifol.

Dyna pryd y rhoddodd Mam y ffôn i lawr ar Dad, a fy ffonio i.

A dyna pryd y rhedodd Dad nerth ei draed drwy strydoedd Caerdydd, heb ddweud wrth ei ffrindiau ei fod o'n gadael. Yr holl ffordd i ganol y ddinas, lle roedd rhesiad o dacsis yn aros. Neidiodd i mewn i'r un cyntaf, a gweiddi 'Take me to Caernarfon!' Meddyliai'r gyrrwr yn siŵr fod Dad yn wallgof, ond ar ôl i hwnnw gytuno i dalu dros dri chan punt i'r gyrrwr, i ffwrdd â nhw am y gogledd.

Dywedodd Mam wrtha i fod wyneb Dad yn dal i ddangos ei fod e mewn sioc pan gyrhaeddodd o'n tŷ ni am chwarter wedi tri y bore.

Y bore canlynol, a minna heb gael eiliad o gwsg, daeth Llew draw i'r babell efo brechdan jam yr un i Math a minna yn frecwast. Teimlwn yn ofnadwy. Roedd holl nerfau fy nghorff yn pigo, a theimlai fy ymennydd fel petai'n llawn gwlân cotwm. Tra oedd Math yn cnoi ei frechdan, es i a Llew allan i'r cae. Do'n i ddim am i Math glywed yr hyn ro'n i am ei ddweud.

Byddai'n rhaid i mi ddweud y cyfan wrth Llew.

Felly dyna wnes i. Pob manylyn – am Mam a Dad, am Math a'r holl bethau rhyfedd roedd o'n eu gwneud, am fflat Dad yng Nghaerdydd, a gwyliau Mam yn Blackpool. Yn ola, esboniais am yr alwad ffôn a gawswn i neithiwr.

Syllodd Llew arna i, yn methu coelio'i glustiau.

'Paid â rhythu arna i fel'na!' cwynais. 'Do'n i ddim yn meddwl gwneud dim o'i le! Isio rhoi hoe i Mam o'n i.'

'Whare teg i ti.' Rhedodd Llew ei fysedd drwy ei wallt golau. 'Ffaelu credu'r peth odw i. Rwyt ti a Math wedi bod bant yr holl amser 'ma? Mae e'n dipyn o gamp, Twm!'

'Dw i'n difaru fy enaid i mi gael y fath syniad twp yn y lle cynta.'

'Wir?' Craffodd Llew arna i.

'Wrth gwrs!'

'Wel, meddylia am hyn. Mae popeth rwyt ti wedi'i ddweud wrtha i nawr am Math yn swnio fel person gwahanol iawn i'r un wy'n nabod. Ocê, mae e braidd yn od, ond weles i mohono fe'n cwyno, na gweiddi, nac yn mynd yn ddwl. Mae'n rhaid dy fod ti wedi gwneud lles iddo fe.'

Fy nhro i oedd syllu'n gegagored. Rhedeg i ffwrdd wedi gwneud lles i Math? Fedrwn i ddim coelio'r ffasiwn beth. Ac eto, roedd o wedi bod yn hapus, yn wirioneddol fodlon, yn Nhonfannau. 'Dwn i'm, Llew. Ma' rhedeg i ffwrdd yn fusnes digon anodd, wsti.'

'Nid y rhedeg bant sy wedi gwneud lles iddo fe'r twpsyn! Ca'l bod allan, yn yr awyr iach, jest ti a fe.' Gwenodd Llew. 'Beth y't ti'n mynd i neud nawr?'

'Dwn i ddim. Dw i ddim isio mynd adra. Mae Mam yn gandryll.'

'Bydd rhaid i ti 'i gwynebu hi rywbryd. Allwch chi ddim rhedeg bant am byth.'

Ochneidiais. 'Dw i ddim isio mynd yn ôl. Dim eto.'

'Wel, mae hynny lan i ti,' atebodd Llew. Roedd o'n amlwg yn anghytuno efo fi. 'Unrhyw beth chi moyn, gweda di wrtha i.'

'Diolch,' meddwn i, ac ro'n i'n ei feddwl o hefyd. Roedd Llew yn ffrind da. 'Dw i jest angen amser i feddwl.'

A dyna wnes i. Drwy'r dydd, wrth i Math sgriblo lluniau yn ei lyfr, a gyda'r nos, wrth iddo fo a Llew a minna grwydro'r glannau yn chwilio am ogofeydd. Do'n i ddim yn sicr pam nad o'n i am fynd adref gan mai dyna fyddai'r peth call i'w wneud. Doedd dim pwrpas aros i ffwrdd mwyach. Ac eto, roedd rhywbeth yn fy atal rhag mynd adref. Ofn y trwbl fyddai'n fy nisgwyl i yno, falla? Ond roedd 'na rywbeth arall hefyd. Petawn i'n mynd adref, byddwn i'n wynebu llawer mwy na ffrae gan Mam. Byddai pethau 'nôl i fel roeddan nhw cynt, a fedrwn i ddim diodde' hynny.

Er i mi gysgu'r noson honno, hen gwsg rhyfedd oedd o – yn llawn breuddwydion od am ogofâu tywyll. Cefais fy neffro'n gynnar y bore wedyn gan lais Llew yn bloeddio y tu allan i'r babell.

'Twm! Deffra!'

Agorais y babell yn gysglyd. Safai Llew yng ngwlith y bore, yn dal yn ei byjamas.

'Be sy'n bod?' holais yn gryg. 'Tydi hi'n ddim ond chwarter i wyth!'

'Mi ddois i'n syth,' atebodd yn fyr ei wynt. 'Edrycha!'

Agorodd y papur newydd oedd yn ei ddwylo, a theimlais fy hun yn gwelwi.

Dau lun ysgol: un o Math, ac un ohona i. Roedd y pennawd mewn print bras:

Have You Seen These Boys?

Pennod 16

MAE'N SWNIO'N OD iawn rŵan, ond tan i mi weld lluniau o Math a minna ar dudalen flaen papur newydd cenedlaethol, wnes i ddim sylweddoli pa mor ddifrifol oedd yr hyn roeddan ni wedi'i wneud.

Ac oedd, mi roedd o'n ddifrifol. Aeth Llew i siop y pentref i brynu pob papur oedd ganddyn nhw. Daeth yn ôl i'r babell a'u taenu dros ein sachau cysgu. Roedd tudalennau o'n hanes ni, a phob papur yn siarsio pobol i gadw llygad amdanon ni, a'i bod hi'n bwysig ein cael ni adref cyn gynted â phosib.

Roedd pawb yn chwilio amdanon ni.

'Haleliwia!' meddwn i'n wan, wrth weld ffotograff o'n tŷ ni yn un o'r papurau. "Dan ni'n enwog!'

'Sai'n credu hyn,' ebychodd Llew.

'Ydan ni wedi rhedeg i ffwrdd, 'ta?' gofynnodd Math, ei geg yn llawn bara a gafodd Llew o'r siop.

'Ydan,' cyfaddefais, ddim yn siŵr sut oedd o'n mynd i ymateb. Ro'n i wedi amau cyn hyn nad oedd o wedi deall yn iawn nad oedd Mam a Dad yn gwybod lle roeddan ni. Chwarae teg iddo, wnaeth Math ddim byd ond pwyntio at lun ohono'i hun, a dweud, 'Dw i ddim yn licio 'ngwallt i yn y llun yna.' Gwenodd Llew a minna ar ein gilydd.

'Bydd yn rhaid i chi aros yn y babell nawr,' meddai Llew. 'Os bydd unrhyw un yn 'ych gweld chi, byddan nhw'n siŵr o'ch nabod chi. Pidiwch â phoeni, fe ddo' i â bwyd a diod i chi. Ond tasen i'n chi, bydden i'n ffonio gatre. Chewch chi ddim lot o sbort 'to, yn sownd fan hyn mewn pabell.'

Nodiais yn brudd. Roedd Llew yn dweud y gwir.

Roedd Math yn berffaith hapus i dreulio'r diwrnod dan gynfas. Gyda'i bapur a'i bensil, aeth ati unwaith eto i lenwi tudalen â'r wynebau rhyfedd. Ar ôl i Llew fynd adref i gael cawod, doedd gen i ddim i'w wneud ond darllen y papurau newydd. Mi wn i na ddylwn i wneud, ond teimlwn nad oedd gen i fawr o ddewis:

Dau fachgen oddi cartref ers tair wythnos

Datgelodd Heddlu Gogledd Cymru ddoe fod dau fachgen o Gaernarfon wedi bod oddi cartref ac nad oedd neb yn ymwybodol eu bod nhw wedi mynd ers tair wythnos.

Roedd Twm a Math Llwyd, 14 ac 11 oed, o Fryn Steffan, Caernarfon, i fod i aros efo'u tad yng Nghaerdydd dros wyliau'r haf, ond pan anfonodd Hywel, tad y bechgyn, neges i ohirio'r ymweliad, mae'n ymddangos bod Twm wedi penderfynu peidio â dangos y neges i'w fam. Gadawodd y ddau ar brynhawn Gwener olaf tymor yr ysgol.

Mae'n ymddangos bod Menna Prys, mam y bechgyn, wedi siarad â'i meibion droeon yn ystod y cyfnod, a'u bod nhw wedi smalio'u bod nhw'n aros efo'u tad.

Mae pryder mawr am gyflwr Math yn arbennig, gan ei fod yn dioddef o anawsterau dysgu a bod ganddo broblemau emosiynol.

Dywedodd Seimon Jones, Uwch-dditectif gyda Heddlu Gogledd Cymru, 'Mae'n hollbwysig ein bod ni'n dod o hyd i Twm a Math cyn gynted â phosib. Dw i'n annog unrhyw un sydd wedi'u gweld nhw i gysylltu â ni'n syth gan fod rhieni'r hogiau yn poeni'n ddirfawr am eu meibion.'

Teimlwn yn sâl. Do'n i ddim eisiau meddwl am Mam yn poeni. Gwnes bentwr o'r papurau newydd a'u gosod nhw i'r naill ochr. Do'n i ddim am feddwl am adref.

Trois fy sylw at Math. Roedd o'n brysur yn tynnu lluniau o wynebau, ac fe'i gwyliais am ychydig. Roedd ei sylw i gyd wedi'i hoelio'n llwyr ar ei waith; roedd yn canolbwyntio'n gyfan gwbl. Fel roeddan nhw bob amser, roedd pob wyneb yn sobor a di-wên.

'Pwy ydyn nhw?' gofynnais, gan bwyntio at yr wynebau.

'Pawb,' oedd ateb swta Math.

'Pawb? Gan gynnwys chdi a finna?'

Rhoddodd Math ei bensil i lawr, a syllu arna i. Ar ôl ystyried am ychydig, ysgydwodd ei ben. 'Na, dim ni.' Aeth yn ôl at ei waith.

'Pam eu bod nhw i gyd mor drist?'

'Tydyn nhw ddim.'

'Ond tydyn nhw ddim yn gwenu.'

'Nac ydyn.'

'Pam?'

Ochneidiodd Math fel petawn i'n dwp. 'Achos tydi'r rhan fwyaf o bobol ddim yn gwenu.'

Y noson honno, daeth Llew i'r babell amser swper, a'i ddwylo'n drwm dan bwysau llwyth o fagiau plastig gorlawn. Ro'n i wedi gobeithio cael ei weld o cyn hynny gan i'r diwrnod fod yn hir yn y babell. Ond mi ges i wybod yn fuan iawn pam roedd o wedi cadw draw.

'Mae gen i newyddion da a newyddion drwg,' meddai, gan dynnu danteithion dirifedi o'r bagiau plastig: bisgedi, bara, cawl mewn fflasg, a bariau siocled hyfryd yr olwg. 'Y newyddion da ydi mod i wedi bod yn coginio i chi.'

'Waw! Mae'r rhain yn edrych yn anhygoel!' Codais glamp o fisged, mor fawr â phlât, a darnau o siocled gwyn yn frith drwyddi. 'Lle dysgaist ti goginio fel hyn?'

'Mam,' atebodd Llew drwy lond cegaid o fisged. 'Gwneud teisenni oedd ei gwaith hi.'

'Be 'di'r newyddion drwg?' gofynnais yn ddrwgdybus.

'Wel, da'th Dad adref o'i waith prynhawn 'ma yn siarad amdanoch chi'ch dou.'

Plismyn, yn chwilio am Math a minna. Aeth ias i lawr fy asgwrn cefn wrth feddwl am y peth.

'Ond dim 'na'r diwedd,' ychwanegodd Llew, a'i lygaid yn llydan. 'Fe ddywedodd Dad eu bod nhw'n dynn ar 'ych sodle chi. Maen nhw wedi bod mewn cysylltiad â phobol sydd wedi'ch gweld chi ym Mhen Llŷn ac ym Mhorthmadog, ac maen nhw'n gwybod i chi gymryd trên i gyfeiriad Machynlleth. Dy'n nhw ddim yn gwybod hyd yn hyn ble adawoch chi'r trên. Ond mae Dad yn dweud mai mater o amser fydd hi nawr, cyn dod o hyd i chi ac y bydde fe wrth 'i fodd petai e'n galler dod o hyd i chi.'

Llyncais fy mhoer. Mewn amser byr iawn, roedd yr heddlu wedi llwyddo i ddarganfod llawer o wybodaeth am ein taith. Roedd tad Llew yn llygad ei le – ymhen ychydig, byddai pobol Tywyn ac Aberystwyth yn siŵr o gofio'n hwynebau ni, ac yna bobol Llangrannog.

'Nawr, os dowch chi i mewn i'r tŷ i ffonio'ch Mam, mi fyddwch chi gatre erbyn amser gwely.' Syllodd Llew o wyneb Math i fy wyneb i. 'Neu...'

'Neu?' holais yn obeithiol.

Ochneidiodd Llew. 'Mae Daf am fynd i syrffio ar Draeth Mawr yn Nhudraeth fory. Bydde fe'n fodlon mynd â chi i rywle yn sir Benfro. Tyddewi falle, ac mi allech chi aros yno am rai dyddie yn eich pabell. Ma' digon o fwyd 'da fi i chi. Ta beth, sa i'n gwbod beth fyddech chi'n neud wedyn... Ond o leia mae'n rhoi rhai dyddie ecstra i chi.'

'Fydda Daf yn fodlon gwneud hynna?'

'Dyw e ddim yn gwylio'r teledu, nac yn darllen papure. Dyw e a Dad prin yn siarad 'da'i gilydd. Mae'n siŵr mai Daf yw'r unig berson yn y wlad 'ma sy ddim yn gwbod amdanoch chi.' Gwenodd Llew yn wan.

'Llew, diolch am hyn i gyd. Mi fydda Math a finna mewn twll hebddat ti.'

'Dim problem. Er, mae'n rhaid i fi gyfadde, mi fydd 'da fi hiraeth ar 'ych ôl chi'ch dou.'

Feddyliais i ddim am hynny. Wrth gwrs, byddai mynd i Dyddewi'n golygu y byddai Math a minna ar ein pennau'n hunain unwaith yn rhagor. Efallai na chawn i weld Llew eto.

'Mi wna i sgwennu atat ti,' addewais, ond roedd yr addewid yn swnio'n un digon tila, rywsut, o ystyried cymaint roedd Llew wedi'i wneud dros Math a minna.

'Dw i moyn i ti addo un peth i fi, Twm.'

'Be?'

Edrychodd Llew ar ei ddwylo. 'Meddylia am dy fam. Mae hi'n amlwg yn poeni amdanoch chi, a cynta i gyd y byddwch chi'n mynd gatre, y lleia i gyd o boeni amdanoch chi fydd isie i'ch mam neud.'

Nodiais i gytuno. Doedd Llew ddim yn gwybod bod y rhan fwya o 'nyddiau i wedi'u llenwi yn hel meddyliau am Mam.

Y noson honno, am un ar ddeg y nos, agorodd Math a minna ddrws y babell am y tro cyntaf y diwrnod hwnnw, a sleifio allan i'r nos. Roedd hi'n noson olau leuad, ac roedd Math a minna wedi cytuno bod yn rhaid ffarwelio â'r lle hyfryd yma cyn i ni symud ymlaen i Dyddewi'r bore canlynol. Bu'n rhaid i ni aros tan yn hwyr, rhag ofn i rywun ein gweld ni. Wrth lwc, roedd y pebyll i gyd yn dawel.

Profiad od oedd cerdded ar hyd y lôn fach, a dim ond y lleuad i oleuo'n llwybr. Er bod y gwrychau'n codi'n uchel bob ochr i ni, a'r rheiny'n dywyll ac yn llawn cysgodion, doedd arnon ni ddim ofn. Roedd golau'r lleuad mor gryf ag unrhyw lamp stryd, a'r môr yn ddulas ar waelod y clogwyn. Syllai Math ar leuad amryliw drwy'r prism yn ei law.

Arhosodd y ddau ohonon ni ar ben y clogwyn, lle roedd hi'n hawdd gweld y pentref, y bae a'r môr. Roedd rhai o oleuadau'r tai yn y pentre ynghynn, a'r dafarn yn arllwys goleuni oren croesawus drwy'r ffenestri. Doedd dim dwywaith amdani, roedd Llangrannog yn lle hyfryd.

'Wyt ti'n meddwl y cawn ni ddod yma eto, rywbryd?'

Synnais glywed y cwestiwn gan Math. Doedd o ddim yn un emosiynol fel rheol.

'Cawn, mae'n siŵr. Mi fyddai Mam wrth ei bodd yma.'

'Oedd hi'n ofnadwy o flin pan ffoniodd hi?'

Ochneidiais yn araf. Do'n i ddim eisiau meddwl am y peth. 'Oedd. Chlywais i rioed mohoni mewn ffasiwn dymer. Wel, ddim erstalwm.'

'Pam ei bod hi mor flin?'

'Mae hi'n meddwl mod i wedi bod yn anghyfrifol, yn gadael efo chdi, jest y ddau ohonan ni.'

Bu saib am eiliad wrth i Math feddwl yn ddwys. 'Falla y bysa Llew yn fodlon cael gair efo hi. Mae o'n gwneud i bob dim swnio'n well, tydi.'

Dim ond un waith o'r blaen y gwelais i Mam yn colli ei thymer go iawn.

Dri mis wedi i Dad gymryd y goes, ac ro'n i'n ddigon bodlon fy myd. Roedd Mam wedi ymddangos yn ddigon hapus hefyd, tan y noson honno. Cysgai Math yn sownd, ond ro'n i'n darllen llyfr ysgol yn fy ngwely, yn barod at y diwrnod wedyn. Clywais ei llais i lawr y grisiau, ac er na fedrwn i glywed y geiriau, daeth hi'n amlwg o'r seibiau hirion a'r ymatebion bob hyn a hyn mai ar y ffôn roedd hi. Doedd hi ddim yn sgwrs hapus iawn, o glywed tôn ei llais – yn wir, roedd hi'n swnio fel petai'n ffraeo. Troediais yn araf i lawr y grisiau, gan gadw mor dawel â phosib fel na fedrai 'nghlywed i.

Ro'n i'n rhy hwyr i glywed y sgwrs ffôn gan fod yr alwad yn amlwg wedi dod i ben cyn i mi gyrraedd gwaelod y grisiau. Bu tawelwch am ychydig eiliadau, cyn i'r sŵn chwalu mwyaf ofnadwy ddod o'r gegin – swn llestri yn malu'n deilchion, ac nid jest un chwaith ond un ar ôl y llall, gan greu stŵr ofnadwy. Rhuthrais i mewn i'r gegin gan gredu'n siŵr fod rhyw silff wedi torri.

Safai mam yn y gegin, a'i chefn ata i. Ces i'r sioc fwya ofnadwy o weld be roedd hi'n ei wneud. Ar y bwrdd yn ei hymyl, roedd y set llestri gorau – platiau, powlenni, cwpanau a soseri â phatrwm o ddail eiddew gwyrdd arnyn nhw. Do'n i ddim yn meddwl rhyw lawer ohonyn nhw, a dweud y gwir, gan eu bod nhw braidd yn henffasiwn yn fy marn i. Ond roedd Mam yn eu gwarchod nhw efo'i bywyd. Dim ond ar ddiwrnod Dolig y bydden ni'n eu defnyddio nhw, a hyd yn oed bryd hynny, mi fyddai Mam yn cadw llygad barcud arnyn nhw. 'Watsia ollwng hwnna!' 'Bydd yn ofalus!'

Wyddoch chi beth roedd hi'n ei wneud efo'r llestri gwerthfawr?

Eu malu nhw.

Un ar y tro, codai Mam y llestri a rhoi fflych iddyn nhw at wal y gegin, a'u malu'n gyrbibion. Ac roedd y darnau'n gwasgaru'n deilchion ar y llawr. Allwn i ddim gweld ei hwyneb hi, ond roedd hi'n amlwg wrth i mi sylwi ar ei chorff yn crynu fel deilen fach ei bod hi'n beichio crio.

Beryg y dylwn i fod wedi trio gwneud rhywbeth: ei stopio hi, gweiddi'n uchel er mwyn iddi wybod mod i yno. Ond fedrwn i ddim. Sefais fel delw y tu ôl iddi, a'i gwylio hi'n torri pob un wan jac o'r set llestri crand yn eu tro. Pan sylweddolodd hi fod dim byd ar ôl i'w daflu, cododd y pentwr llythyrau oedd wedi bod yn cuddio o dan y llestri. Roedd 'na brint coch ar rai ohonyn nhw, a 'FINAL DEMAND' mewn print bras ar rai eraill. Cymerodd Mam gip arnyn nhw, cyn lluchio'r rheiny at y wal hefyd. 'Cythraul!' gwaeddodd, ond roedd ei llais hi erbyn hyn yn ofnadwy o wan.

Dw i'n meddwl mai Dad oedd wedi bod ar y ffôn.

'Mam,' meddwn o'r diwedd, a throdd Mam yn sydyn, wedi synnu clywed llais. Roedd ei bochau'n golur i gyd ar ôl iddi fod yn crio. Cerddais ati, a dechrau sychu'r düwch oddi ar ei gruddiau â llawes fy mhyjamas. 'Peidiwch â phoeni, Mam. Mi sortiwn ni rywbeth.'

Nodiodd Mam yn araf. 'Gwnawn, ti a fi a Math. Mi fyddwn ni'n iawn.'

Y diwrnod wedyn treuliodd Mam ei min nos ar y ffôn yn canslo'r teledu lloeren, ac yn gwneud yn siŵr y bydden ni'n talu llai am y dŵr poeth, y galwadau ffôn, a'r trydan. A wyddoch chi be? Roedd Nadolig yn llawer gwell heb orfod poeni am yr hen blatiau hyll yna.

Wrth swatio yn fy sach gysgu ar ein noson ola yn Llangrannog, meddyliais am y noson honno pan dorrodd Mam y platiau. Roedd hi'n flin yr adeg honno, yr un fath ag roedd hi rŵan. Teimlwn yn anesmwyth iawn mod i wedi achosi'r ffasiwn drafferth iddi. Fedrwn i ddim peidio â meddwl pa lestri oedd yn ei chael hi heno.

Pennod 17

ROEDD HI'N AMLWG ar wyneb Daf ei fod o'n arfer bod yn ei wely'r amser hyn o'r dydd. Cododd Math a minna cyn toriad y wawr i dynnu'r babell i lawr a'i phacio yn ei bag. Do'n i ddim am i unrhyw un o'r gwersyllwyr eraill ein gweld ni, a ninnau'n enwog bellach a phawb yn chwilio amdanon ni. Roedd Llew wedi dweud y caen ni aros am Daf ac yntau mewn hen sgubor yn un o'r caeau – hen le llychlyd ac oglau gwair yn llenwi'r lle. Chwarae teg iddo, roedd Math yn ddigon hapus â'i bensil a'i bapur, er i mi sylwi ei fod o'n bodio'r prism weithiau hefyd. Mae'n rhaid ei fod o'n eitha nerfus.

Am chwarter wedi naw, daeth Llew i'n hebrwng ni o'r sgubor. Roedd ei dad wedi gadael am y gwaith hanner awr ynghynt, a Daf wedi llwytho'i hen fan â'r byrddau syrffio.

Roedd Llew wedi dod â chap yr un i Math a minna, a'r peth cynta a sibrydodd oedd, 'Mae'n rhaid i chi 'u gwisgo nhw. Roedd e ar y newyddion ar y radio bore 'ma eu bod nhw'n gwbod i chi gyrraedd cyn belled ag Aberystwyth.'

Roedd llygaid Daf wedi chwyddo – olion blinder, ond roedd o mor hoffus ag erioed. Eisteddais i a Math yng nghefn y fan efo'r byrddau syrffio a llawer o geriach eraill – dau obennydd, hen bapur newydd, pecynnau gwag o greision a hen dywelion tamp. Er mor flêr oedd cefn y fan, ro'n i'n falch iawn o fod yno. Fyddai neb yn medru'n gweld ni yn y fan hyn.

Gyrrwr braidd yn wyllt oedd Daf, a doedd o ddim yn un am arafu ar gorneli, waeth pa mor hegar oedden nhw. Llithrai Math a minna o ochr i ochr yng nghefn y fan, a daliai Math ei brism yn dynn yn ei ddwrn. Pan ddaeth y fan i stop mewn garej i gael petrol, roedd y rhyddhad yn amlwg ar ei wyneb.

'Rwy am alw yn y siop i nôl diod,' meddai Llew o'r sedd flaen. 'Y'ch chi moyn rhywbeth?'

'Papur newydd, plis,' gwaeddais, gan estyn dwy bunt iddo. Gwyddwn na fyddai gweld rhagor o benawdau bras yn gwneud i mi deimlo'n well, ond ro'n i'n chwilfrydig ac am wybod beth gâi ei ddweud. Ro'n i hefyd yn awyddus i wybod ble roedd yr heddlu'n sicr i ni fod yno.

Adroddai llygaid soseri Llew eu stori eu hunain wrth iddo basio'r papur yn ôl i gefn y fan. Gyda Daf yn ddigon pell i ffwrdd yn talu am y petrol, roedd hi'n saff siarad am eiliad.

'Chi ar y tudalenne bla'n 'to!' meddai'n gyflym. 'Llunie gwahanol y tro 'ma. Wy'n gweud wrthoch chi, ma' hi'n stori fowr erbyn hyn!'

Ar hynny, daeth Daf yn ôl i'r fan, yn wên o glust i glust ar ôl clywed gan ei fêt a weithiai yn y garej fod rhagolygon ardderchog am donnau da i syrffio. Dechreuodd o a Llew drafod y tonnau a'r llanw a phethau na wyddwn i ddim amdanyn nhw. Esgus perffaith i mi droi at y papur newydd.

Llun o Math a minna dros wyliau'r Pasg oedd ar y blaen – llun cythreulig o wael a dynnwyd yn fflat Dad. Doedd 'run o'r ddau ohonon ni'n gwenu. A dweud y gwir, roedd golwg surbwch arna i, a golwg dorcalonnus ar Math. Gallwn gofio Dad yn tynnu'r llun â'i ffôn ffansi newydd, a minna'n methu dallt pam byddai rhywun eisiau cofnod o wyliau mor anhapus. 'Ar Goll! Rhywle yng Nghymru' oedd y pennawd dramatig. Roedd hynny'n hollol anghywir, wrth gwrs – doeddan ni ddim ar goll. Ond mae'n debyg nad oedd ots gan y papur newydd pa mor agos at y gwirionedd oedd y pennawd, cyn belled â bod digon o bapurau'n cael eu gwerthu.

Cefais dipyn o sioc wrth weld map o Gymru, a sêr bach yn dangos yr holl lefydd roedd pobol wedi gweld Math a minna: un ym Mhen Llŷn, un ym Mhorthmadog, dau yn Nhywyn, ac un yn Aberystwyth. Ar dudalen arall, roedd wynebau rhai o'r bobol hynny, yn disgrifio ble y gwelson nhw ni.

Dai Evans, Fferm Tŷ Collen, Aberdaron – 'Bu'r ddau'n gwersylla yn fy nghae i. Mi ddywedodd yr un hyna fod eu rhieni hefo nhw. Wnes i ddim meddwl eu hamau nhw am funud gan fod yr hogyn hyna'n gwrtais ac yn annwyl. Siaradais i ddim efo'i frawd bach o, ond mae'n rhaid i mi gyfaddef i mi dderbyn cwynion gan rai o'r gwersyllwyr eraill am ei sŵn yn ystod y nos.'

Mali Francis, Porthmadog – 'Wnes i ddim cymryd fawr o sylw ohonyn nhw, a dweud y gwir, gan ein bod ni'n derbyn cymaint o bobol yma. Mi wnaeth yr un ieuenga ffasiwn dwrw yn ystod y nos, ac mi fu'n rhaid i 'ngŵr eu hel nhw o 'ma. Roedd o'n meddwl ei fod o'n beth rhyfedd eu bod nhw ar eu pennau eu hunain, ond ro'n i'n meddwl mai rhieni esgeulus oedd ganddyn nhw, wedi gadael iddyn nhw fynd i ffwrdd ar eu pennau eu hunain.'

Iwan Smith, fferyllydd Tywyn – 'Daeth y bachgen hynaf i mewn i ofyn am foddion i'w frawd. Mi wnes i holi pam nad oedd yn bosib mynd â fo at y meddyg, ond roedd o'n swnio mor ddidwyll wrth ateb. Dw i, fel pawb arall ddaeth ar draws yr hogiau, yn difaru na wnes i sylwi be oedd yn digwydd mewn gwirionedd.'

Beti Davies, Aberystwyth – 'Welais i nhw yn y siop tsips. Wy'n teimlo trueni dros eu mam druan. Mae'n siŵr ei bod hi'n poeni'n ofnadwy amdanyn nhw.'

Llyncais fy mhoer a brathu fy ngwefus. Do'n i ddim angen Beti Davies o Aberystwyth i fy atgoffa i o Mam, na'r poen meddwl roedd hi'n siŵr o fod yn ei deimlo. Be o'n i'n ei wneud? Doedd dim pwynt yn y byd i mi ddal ati i redeg i ffwrdd. Wyddwn i ddim pam ro'n i'n ei wneud o.

Ac eto, mi wyddwn yn iawn.

Byddai pethau'n wahanol ar ôl i ni fynd adref. Wedi i wynebau Math a minna orchuddio pob papur newydd, byddai pobol yn siŵr o ofyn cwestiynau ynglŷn â pham yr aethon ni i ffwrdd. Fyddai fy atebion i ddim ond yn codi mwy o gwestiynau. Pam nad oedd Dad am ein cael ni? Pam nad oedd Mam wedi sylweddoli bod rhywbeth yn bod? Ro'n i wedi sbwylio popeth.

O'r ychydig y medrwn ei weld drwy ffenestri budron y fan, roedd y daith o Langrannog i Dyddewi yn daith hyfryd, yn enwedig y lonydd bach culion ger Abergwaun. Roedd Daf yn gyrru'n gyflym ond, drwy ddal gafael yn dynn, ches i na Math ddim ein taflu o'r naill ochr i'r llall wedi i ni gyfarwyddo ag eistedd yn y cefn.

'Beth y'ch chi'ch dou am neud yn Nhyddewi, 'te?' gofynnodd Daf. 'Do's dim tra'th yno, chi'n gwbod.'

'Am fynd i weld y gadeirlan y'ch chi, yn tyfe?' atebodd Llew, a nodiais yn fud. Wyddwn i ddim cyn hynny fod 'na gadeirlan yn Nhyddewi.

'Gelech chi fwy o sbort yn Nhraeth Mawr,' meddai Daf. 'Mae tonne anferthol 'na.'

'Rhy fisi,' atebodd Llew droson ni. 'Dwyt ti ddim yn lico torfeydd, wyt ti Math?'

Ysgydwodd Math ei ben.

Chwarae teg iddo, rhoddodd Llew gyfarwyddiadau manwl i Daf lle i fynd â ni. Roedd dinas fach Tyddewi yn ferw o bobol, er mai ddiwrnod digon llwydaidd oedd hi. Siopau bach drud yr olwg oedd yn llenwi'r lle, yn gwerthu dillad, neu greiriau, neu gelf.

Ar ôl troi cornel ym mhen un o'r strydoedd daeth golygfa anhygoel i'r golwg. Roedd Llew wedi sôn am y gadeirlan, wrth gwrs, ond mewn lle mor fach, do'n i ddim yn disgwyl dim byd mwy nag eglwys go grand. Roedd yr hyn a ddaeth i'n golwg yn dipyn o syndod: clamp o gadeirlan fawreddog, a'r siapiau a'r cerfiadau yn y cerrig yn dlysach nag unrhyw beth a welswn erioed o'r blaen. Safai'r gadeirlan wrth droed bryn, ac yn ei ymyl roedd adfail anferth o gerrig llwydion. Bu'n lle crand iawn un tro, roedd hynny'n amlwg.

'Be 'di hwnna?' gofynnais i Llew, gan bwyntio at yr adfail.

'Palas yr Esgob,' oedd ei ateb. 'Mae e'n grêt. Mae hen stafelloedd yn y gwaelod sy hyd yn oed yn fwy iasoer nag ogofâu Llangrannog.'

Gyrrodd Daf heibio i'r gadeirlan a Phalas yr Esgob, cyn dod i stop ar lôn fach dawel a arweiniai allan o'r ddinas. Doedd neb i'w weld yn unman.

'Alla i ddim eich gadael chi fan hyn!' ebychodd. 'Do's dim byd 'ma!'

'Mae o'n berffaith, diolch i ti,' atebais yn bendant. 'Fel dywedodd Llew, tydi Math ddim yn hoff iawn o lefydd sy'n llawn pobol.'

Ochneidiodd Daf, ond cododd o'i sedd a cherdded i'r tu ôl i'r fan i agor y drws i ni. Roedd hi'n braf cael ymestyn fy nghoesau.

'Cofiwch ddod yn ôl i Langrannog cyn bo hir,' gwenodd Daf yn glên.

'Wrth gwrs,' cytunais.

Daeth Llew allan i ffarwelio â ni. Mae'n rhaid i mi gyfaddef bod lwmp yn fy llwnc wrth i mi feddwl am ei adael gan iddo fod yn ffrind mor dda, mor driw – un o'r goreuon a gefais i rioed.

'Cadwa mewn cysylltiad,' meddai'n dawel, a medrwn ddweud ei fod o'n ei chael hi'n anodd ffarwelio hefyd. 'Mae Daf yn iawn, bydd croeso i chi unrhyw bryd yn Llangrannog.'

'Bydd yn rhaid i ti ddod i Gaernarfon i aros efo ni,' atebais, ac ro'n i'n golygu pob gair. 'Mi fyddai Mam wrth ei bodd efo ti.'

Nodiodd Llew, ac edrych i lawr wrth i'w lygaid lenwi efo dagrau. Mae'n siŵr mai meddwl am ei fam ei hun oedd o.

Wrth i Daf droi ei gefn i gau drysau'r fan, sibrydodd Llew yn sydyn i 'nghyfeiriad i. 'Dewisa gae fan hyn. Rhain ro'n i wedi meddwl ar gyfer 'ych pabell chi. Ma 'na goed yng nghornel y cae, falla bydde'r fan 'ny'n lle da i chi.'

'Diolch i ti,' meddwn yn dwymgalon. 'Mi fydd hi'n rhyfedd hebddot ti, Llew.

Wfftiodd Llew. 'Gyda Math rwyt ti i fod. Rydych chi'ch dau'n agosach nag unrhyw frodyr a gwrddes i eriod. Rwyt ti mor dda wrth Math, Twm. Mae'n amlwg ei fod e'n meddwl y byd ohonot ti.'

Llyncais droeon i drio cadw'r dagrau yn ôl. Doedd neb wedi dweud unrhyw beth tebyg i hynny wrtha i o'r blaen.

Do'n i ddim yn meddwl bod Math yn meddwl y byd o unrhyw un. Doedd o ddim y math yna o berson, ac eto, mae'n amlwg mai dyna gredai Llew.

'Ydyn ni'n barod i fynd, 'te?' gofynnodd Daf. 'Mae'r tonne mowr 'na'n aros amdana i.'

'A finne,' gwenodd Llew. 'Hwyl fowr i chi.'

'A chitha,' gwenais yn ôl. Wrth i'r ddau frawd fynd i mewn i'r fan, ychwanegodd Math.

'Dw i'n licio chi.'

Chwarddodd Llew a Daf, a chododd Daf ei fawd ar Math.

''Dyn ni'n ffrindie nawr, iawn mêt? Dere i aros 'da ni 'to. Fe bryna i hufen iâ mowr i ti tro nesa.'

'Go iawn?'

''Wy'n addo.'

Ac efo hynny, aeth y ddau frawd i mewn i'w fan, tanio'r injan, ac roeddan nhw wedi mynd.

Wedi i ni ddod o hyd i lecyn bach rhwng y coed i osod y babell, llecyn wedi'i guddio o'r lôn, cymerais ugain munud i'w chodi. Ro'n i'n hen law ar y gwaith erbyn hyn, yn gwybod yn iawn pa bolion oedd yn mynd i ble, a lle i osod y pegiau. Roedd hi'n dechrau pigo bwrw pan ddiflannodd y ddau ohonon ni i mewn i'r babell am y dydd.

Wrth gnoi un o fisgedi blasus Llew, meddyliais am fy ffrind newydd. Roedd o'n anhygoel o cŵl, rywsut, ac eto roedd o jest fel fi. Be oedd y gwahaniaeth? Oedd, roedd gan Llew wallt golau, ac roedd o'n syrffio, ond nid dyna oedd y gwahaniaeth penna. Roedd o wedi bod yn ddigon hyderus i ddod i weld Math a minna, a gwenu ar y ddau ohonon ni er nad oedd o'n ein nabod ni. Yr unig beth oedd ganddo fo nad oedd gen i oedd hyder. Byddai'n rhaid i mi gofio hynnny pan awn i'n ôl i'r ysgol ym mis Medi.

Pennod 18

AM DDEG O'R gloch ar ein noson gyntaf yn Nhyddewi, mentrodd Math a minna allan o'n pabell am y tro cyntaf drwy'r dydd. Roedd wedi bod yn ddiwrnod hir, ac er bod bwyd Llew wedi'n cadw ni'n hapus, ac er bod Math mewn hwyliau da efo'i bapur a'i bensiliau, ro'n i wedi casáu gorfod treulio'r diwrnod o dan gynfas.

Roedd gen i ormod i feddwl amdano, dyna oedd y drwg. Â dim byd i'w wneud, dim byd i lenwi fy amser, roedd popeth a wnaethon ni'n troelli trwy fy mhen, ac ro'n i'n dechrau teimlo'n wirion gan euogrwydd.

Wedi'r cyfan, ro'n i wedi dwyn Math. Fi oedd yr un call, nid fo. Fi oedd y bòs, nid fo. Fy mai i oedd y cyfan ac fel yna fyddai Mam yn ei gweld hi. Be fyddai'n digwydd i mi rŵan? Roedd Mam wedi swnio mor flin ar y ffôn.

Be pe byddai hi'n penderfynu nad oedd hi'n medru edrych ar ein holau ni rhagor?

Ceisiais wthio'r syniad o'm meddwl. Fyddai Mam ddim yn gwneud ffasiwn beth, ond gwrthododd y syniad â diflannu. Gwyddwn fod Mam yn ei chael hi'n anodd edrych ar ein holau ni weithiau, yn enwedig pan fyddai Math yn gwynfanllyd. Beth petai hi'n ein hanfon ni i fyw efo Dad yng Nghaerdydd? Beth wnawn i wedyn?

'Tyrd,' meddwn wrth Math. Byddai mynd am dro bach yn help i atal fy meddwl rhag troelli. Roedd hi fel bol buwch y tu allan. Siawns na fyddai unrhyw un o gwmpas y lle mor hwyr â hyn.

Roedd hi'n poeri bwrw, a chodais fy hwd dros fy mhen wrth i mi ddringo dros y giât o'r cae. Cerddodd Math a minna mewn tawelwch llwyr am yr ychydig funudau a gymrodd i gyrraedd y gadeirlan.

Wir i chi, roedd Tyddewi yn edrych yn anhygoel gyda'r nos, a'r goleuadau yn llenwi pob cornel. Gerllaw, edrychai Palas yr Esgob yn fawreddog a chrand dan y lampau oren.

'Gawn ni fynd i mewn?' gofynnodd Math.

'Dim rŵan. Mae pobman wedi cau.'

'Fory, 'ta?'

'Gawn ni weld.' Dyna'r ateb a roddai Mam, er mai 'na' oedd hi'n ei olygu go iawn.

Mae'n rhaid bod Math a minna wedi crwydro am awr a mwy o gwmpas y ddau adeilad hynafol, gan syllu arnynt mewn tawelwch. Pan ddylyfodd Math ei ên, gwyddwn ei bod hi'n amser i ni fynd yn ôl i'r babell.

'Twm!' Dylyfais fy ngên yn araf. Agorais un llygad. Roedd hi'n olau y tu allan, yn fore.

'Twm!' Pwysodd Math drosta i, ei wyneb yn agos at fy un i nes peri i mi weiddi o sioc.

'Be sy?'

'Ma'r papur wedi gorffen!'

Ochneidiais yn drwm. 'Mi wnest ti 'neffro i achos hynna? O'n i'n meddwl bod rhywbeth mawr yn bod!'

'Dw i'n methu gwneud llun heb bapur!'

'Wel, be fedra i wneud am y peth, Math?'

'Awn ni i brynu peth!'

'Os bydd pobol yn ein gweld ni, mi fyddan nhw'n ein nabod ni o'r papurau newydd.'

Gyda hynny, rhoddodd Math sgrech o rwystredigaeth, nerth esgyrn ei ben. Eisteddais i fyny ar fy union. Doedd o ddim wedi nadu na chwyno ers tipyn, heb sôn am sgrechian, ac roedd rhan ohona i wedi anghofio mor wyllt y gallai o fod.

'Ocê, ocê,' meddwn. 'Paid â sgrechian.'

'Dw i isio papur RŴAN!'

'Yli, Math, mae hi'n chwarter wedi wyth. Fydd y siopau ddim yn agored eto. Os cawn ni frecwast bach, a gwisgo ein dillad, a bod yn y siop fel mae hi'n agor am naw... Wel, falla bydd y lle'n ddigon tawel, radeg honno, a fydd neb yn ein nabod ni. Ond mi fydd yn rhaid i ni ddod yn ein holau'n syth bìn, iawn?'

Nodiodd Math, er i'r gwg aros ar ei wyneb.

Roedd glaw ddoe wedi troi'n heulwen, ac addawai'r awyr las ddiwrnod crasboeth. Safodd Math a minna â'n traed noeth yng ngwlith y bore yn bwyta sleisys mawr o gacen lemwn. Ew, pobydd a hanner oedd Llew. Byddai'n rhaid i mi gofio sôn wrtho pan fyddwn yn sgwennu llythyr ato.

Er mawr syndod i mi, roedd Tyddewi am naw y bore yn llawer prysurach nag ro'n i wedi'i ddisgwyl. Crwydrai ambell deulu o siop i siop; roedd un neu ddau'n jogio ar ddechrau'r dydd, a chriw o fechgyn ifainc yn chwilio am frecwast. Ro'n i'n ysu am droi 'nôl a dychwelyd at ddiogelwch y babell, ond allwn i ddim – nid â sgrech Math yn dal i atseinio yn fy nghlustiau. Plygais fy mhen, a cherdded i fyny'r bryn tuag at y siopau.

Ar sgwâr Tyddewi roedd siop-pob-dim a bwcedi o bethau lliwgar, plastig y tu allan i'r drws – dreigiau cochion, cennin anferth a modelau bach plastig o Dewi Sant. Gan gymryd cip y tu ôl i mi i wneud yn siŵr bod Math yn dilyn, es i mewn i'r siop.

Ymhen dim o dro, roedd Math a minna wedi prynu tri llyfr o bapur gwyn a deg pensil newydd sbon. Wrth lwc, wnaeth y dyn canol oed y tu ôl i'r cownter ddim sbio arnon ni, dim ond cynnig cledr ei law i gymryd fy mhres.

'Tyrd, yn sydyn. 'Nôl i'r babell,' meddwn o dan fy ngwynt. Nodiodd Math.

Dyna pryd y clywais i hi.

Sgrech car heddlu.

'Tyrd!' Cerddais yn gyflym drwy'r sgwâr ac i lawr y lôn. Ond bu'n rhaid i mi droi ar fy sawdl yn syth. Roedd ceir yr heddlu ar y lôn, a chael a chael oedd hi i ni allu symud yn ddigon sydyn i ddianc heb gael ein gweld.

Roeddan nhw'n amlwg wedi dod o hyd i'n pabell ni. Meddyliais am yr holl bethau oedd y tu mewn iddi – lluniau Math, cacennau Llew, ein sachau cysgu. Teimlwn yn flin, fel petaen nhw'n busnesu yn fy nghartref i.

'Tyrd,' meddwn, fy meddwl yn troelli a 'nghalon yn curo'n wyllt.

Trodd Math a minna'n sydyn, a brysio 'nôl i fyny'r bryn. Aeth y ddau ohonon ni mor gyflym â phosib ar hyd y lon fach a arweiniai at y gadeirlan. Fedrwn i ddim coelio hyn: ein pabell, a fu'n lle mor breifat i Math a minna, wedi'i darganfod. Roedd hynny'n fy ngwylltio i.

Roedd ymwelwyr eisoes yn cyrraedd y gadeirlan, ond chymerais i na Math ddim sylw ohonyn nhw. Wrth frysio drwy'r fynwent, gwelais heddwas ar ben y grisiau yn siarad â phobol, efo golwg ddwys iawn ar ei wyneb. Trois yn ôl i ddianc.

Doedd dim ond un lle amdani: y gadeirlan.

'Tyrd,' meddwn i wrth Math. 'Roeddet ti isio gweld y tu mewn, yn doeddet?'

Dydw i ddim yn berson crefyddol, ac es i rioed i'r ysgol Sul. Smalio canu y bydda i yn y gwasanaeth yn yr ysgol. Ond er hynny i gyd, mae'n rhaid i mi gyfadde bod rhywbeth am dawelwch a harddwch cadeirlan Tyddewi wnaeth i mi deimlo'n saff. Roedd yr addurniadau'n anhygoel o dlws, a'r ffenestri lliw yn werth eu gweld.

Ces fy synnu o weld arwyddion am ffreutur, siop a llyfrgell, gan na wyddwn fod pethau felly mewn cadeirlan. Cydiais ym mraich Math, a'i dynnu'n ysgafn i gyfeiriad cefn y gadeirlan, a edrychai'n dawel.

Ew, roedd hi'n fawr! Nid dim ond un lle i addoli oedd yno, ond llawer o gapeli bach tawel, i gyd o dan yr unto, yn ogystal â beddau hynafol yr olwg, a llwythi o ganhwyllau cofio.

'Tyrd i fa'ma,' meddwn, gan eistedd ar y llawr rhwng dwy sêt yn un o'r capeli lleiaf ym mhen pella'r gadeirlan. Roedd darlun mawr o ddyn ar y wal. Dewi Sant? Yn y cefn roedd bocs mawr, ac arwydd bach arno fo'n dweud mai gweddillion Dewi Sant oedd y tu mewn iddo. Do'n i ddim yn licio meddwl am hynny.

Estynnodd Math ei bapur a'i bensiliau newydd, a mynd ati'n syth i dynnu llun. Edrychais ar luniau'r seintiau ar y wal, gan drio peidio â gwrando ar sŵn ceir yr heddlu a swniai mor agos.

Dim ond am ddeng munud y buon ni'n eistedd yn y capel bach cyn clywed llais yn atseinio dros y megaffon drwy'r gadeirlan. Crynais mewn ofn wrth ei glywed.

'Yr heddlu sydd yma. Does neb i adael y gadeirlan tan yr hysbysir chi gan yr heddlu. This is the police...' Wnes i ddim trafferthu gwrando ar y cyfieithiad Saesneg. Ro'n i'n chwys oer drosta.

'Dw i'n meddwl ein bod ni'n mynd adref, Math,' meddwn yn gryg.

'Dim eto,' atebodd Math. 'Dw i isio gorffen y llun yma gynta.'

Ew, mae sŵn yn cario mewn cadeirlan. Gallwn glywed yr heddlu yn agor drysau, yn dringo grisiau, yn galw ein henwau ni. Yn dod yn nes ac yn nes. Wn i ddim pam na wnes i godi ar fy nhraed ac ildio fy hun a Math – roedd hi'n amlwg y bydden nhw'n dod o hyd i ni mewn dim o dro. Caeais fy llygaid. Roeddan nhw'n swnio mor agos.

'Dw i 'di gorffen fy llun,' meddai Math yn fuddugoliaethus. 'Sbia arno fo, Twm!'

Agorais fy llygaid ac edrych ar y papur, a 'nghalon yn 'y ngwddf. I be oedd Math yn dangos rhyw hen lun i mi ar adeg fel hyn?

Ond roedd hwn yn llun gwahanol. Roedd wynebau arno fo, fel yn holl luniau Math, ond doedd y llygaid ddim yn farw, na'r cegau yn drist.

'Dyma Mam,' pwyntiodd Math.

Daeth sŵn drysau'n agor ac yn cau yn agos aton ni. Roedd yr heddlu'n nesáu.

'A dyma'r dyn oedd pia'r fferm yn Aberdaron,' aeth Math yn ei flaen. 'Dyna'r ddynes flinedig o Borthmadog, a dyna'r ddynes glên yn y llyfrgell yn Nhywyn.' Pwyntiodd Math, a wir i chi, roedd yr wynebau'n debyg iawn.

'A dyma Llew, a Daf.' Pwyntiodd Math, a nodiais wrth eu hadnabod. Roedd pawb yn y lluniau hyn yn gwenu, mor wahanol i luniau arferol Math.

'Maen nhw i gyd mor hapus!' meddwn, a dagrau'n dechrau cronni yn fy llygaid.

'O'r blaen, ro'n i'n gwneud llunia o wyneba do'n i ddim yn eu nabod.' Rŵan dw i'n gwneud llunia o'r rhai dw i yn eu nabod,' esboniodd Math.

Clywais ddrws y capel bach lle roeddan ni'n cuddio yn agor, a sŵn traed plismon yn agosáu.

'A dyma'r rhai gora!' ychwanegodd Math, gan bwyntio at ddau wyneb hapus ynghanol y dudalen. 'Ti a fi!'

'Twm! Math!' Daeth llais plismon o rywle'n agos aton ni. 'Dewch nawr!'

Ymddangosodd wyneb y plismon uwch ein pennau, yn gwenu'n fuddugoliaethus. 'Peidiwch â phoeni, fechgyn,' meddai'n annwyl, cyn gweiddi, 'Dyma nhw!' ar ei gyd-weithwyr.

Trodd Math ata i, a gwneud rhywbeth nad oedd o erioed wedi'i wneud cyn hynny.

Gwenodd arna i.

Pennod 19

MAE HI'N RHYFEDD bod adref wedi i ni fod i ffwrdd am amser hir. Mae popeth yn ymddangos mor newydd, mor wahanol. Ro'n i wedi anghofio'r manylion bach amdano – sŵn y peiriant golchi'n hymian, y gwydr lliw yn y drws ffrynt, yr oglau powdr golchi dillad sy'n treiddio drwy'r holl dŷ.

Wrth gwrs, buan mae pethau'n mynd yn ôl i fel roedden nhw. Dw i a Math adref ers bron i bythefnos bellach, ac mae'r olaf o'r newyddiadurwyr wedi gadael. Aeth Mam yn ôl i'r gwaith ddoe, a tydi Math ddim wedi gwenu fawr ddim arna i ers i ni ddychwelyd i Gaernarfon.

Doedd Mam ddim yn flin efo fi, wyddoch chi.

Crio wnaeth hi ar ôl i ni gyrraedd adref, crio a chrio a chrio, a'n dal ni'n dau'n dynn. Mae'n rhaid i mi gyfadde i minna golli deigryn neu ddau hefyd wrth sylweddoli faint o boen meddwl ro'n i wedi'i achosi iddi.

Wnaeth hi ddim gofyn pam, dim ond syllu ar Math a minna efo rhyw olwg yn ei llygaid na welswn rioed mohono o'r blaen.

Roedd Dad hefyd yn y tŷ, pan ddaeth Math a minna adref. Safai yn nrws y gegin yn gwylio'r tri ohonon ni'n cofleidio, ac wedyn mi sythais i a syllu 'nôl arno fo am amser hir.

'Be yn y byd…?' dechreuodd o, ond fedrwn i ddim dioddef ei glywed o'n hefru. Roedd o'n edrych o'i le yn ein tŷ bach clyd ni, ac roedd hi'n anodd meddwl iddo fod yn gartref iddo yntau unwaith.

'Ewch o 'ma, plis,' meddwn yn dawel. ''Dan ni ddim isio chi yma.' Ro'n i'n siŵr y byddwn i'n cael ffrae gan na fues i rioed mor bowld efo fo o'r blaen. Ond mynd wnaeth o, gan adael cwmwl o lwch lle sgrialodd ei deiars. Ro'n i'n siŵr na welwn i byth mohono fo wedyn.

Ddeuddydd ar ôl dychwelyd adref, aeth Mam a Math a minna i adeilad mawr gwyn ym Mangor Ucha i gael 'cyfarfod cysylltu'. Doedd gen i fawr o ddiddordeb a dweud y gwir. Rhyw bobol o'r gwasanaethau cymdeithasol oedd wedi'i drefnu o er mwyn i'n teulu ni gael ateb i'n problemau, fel na fyddai Math a minna'n teimlo bod yn rhaid i ni redeg i ffwrdd eto.

Cefais sioc wrth gerdded i mewn i'r ystafell.

Roedd Dad yn eistedd yno, â phaned o de yn ei law a golwg bryderus ar ei wyneb. Ro'n i'n ysu am gael holi be oedd o'n da yma, ond do'n i ddim am gynhyrfu'r dyfroedd. Wedi i ni i gyd eistedd ar soffas cyfforddus, daeth Janet, y weithwraig gymdeithasol, i mewn, a dechrau holi cwestiynau – cwestiynau anodd hefyd. 'Be sy'n dy wneud ti'n flin, Twm?' 'Twm, pam wyt ti ddim yn sbio ar dy dad?' Caeais fy ngheg, a symudodd Janet ymlaen at Dad.

'Dydach chi ddim yn edrych yn rhy hapus, Hywel.'

Ysgydwodd Dad ei ben.

'Pam felly?'

'Tydi'r hogia 'ma ddim fatha'u bod nhw'n dallt cymaint o stŵr wnaethon nhw ei achosi...'

A dyna pryd y gwnes i ddechrau gweiddi.

Do'n i rioed wedi codi fy llais ar Dad o'r blaen, ac yn

sydyn teimlwn na allwn i stopio. Pob manylyn bach oedd wedi 'ngwylltio i amdano dros y blynyddoedd, pob atgof. Gwaeddais a gwaeddais am amser hir, gan bwyntio bys a dweud ei fod o wedi cymharu Math a minna erioed, gan wneud i mi deimlo'n euog; wedi gwneud i mi deimlo fel petai'n well ganddo fo fod heb ei deulu; ac wedi tynnu'n groes i Mam pan oedd hi'n trio gwarchod Math.

Ac yna, dywedais ei fod o wedi'n gadael ni, wedi anghofio amdanon ni, wedi gwneud y penderfyniad y byddai ei fywyd o'n well heb Mam a Math a minna. Doedd ganddo fo ddim hawl i boeni pan redodd Math a minna i ffwrdd.

I orffen, mi ddywedais mai'r peth oedd yn fy ngwylltio i fwya am fy nhad oedd y ffordd y byddai o'n gwylltio efo Math am y pethau bach anarferol roedd o'n eu gwneud. Roedd gwylltio efo Math fel gwylltio efo rhywun am liw gwallt, neu faint eu traed – pethau nad oedd gan y person unrhyw reolaeth drostyn nhw.

Ar ôl i mi stopio gweiddi, anadlais yn drwm ac edrych o gwmpas yr ystafell. Roedd Mam a Math yn syllu'n syn arna i. Roedd Janet yn edrych yn fodlon iawn ei byd. A Dad?

Roedd Dad yn crio, ac yn nodio. Wnaeth o ddim trio amddiffyn ei hun.

'Wyt ti'n teimlo weithiau dy fod ti'n gorfod bod fel tad i Math?' gofynnodd Janet drachefn.

Nodiais. 'Dw i ddim isio bod yn greulon, achos dw i'n meddwl y byd o 'mrawd, ond dw i'n poeni mai fi fydd yn gorfod edrych ar ei ôl o pan ddaw o i'r ysgol uwchradd, fel ro'n i yn yr ysgol fach.' Edrychais draw at Math, ac roedd o'n syllu ar y prism yn ei ddwylo. Doedd hi ddim yn ymddangos fel petai 'ngeiriau i wedi'i frifo. 'Mae Math a finna'n ffrindia,' esboniais. 'A 'dan ni wedi mwynhau'n cwmni'n gilydd yr haf yma. Ond dw i angen amser hebddo fo weithia hefyd.'

Nodiodd Janet fel petawn i wedi dweud rhywbeth doeth iawn.

Siaradodd ein teulu ni am dair awr bron yn y stafell fach honno ym Mangor, yn trafod sut y bu pethau, be oedd yn ein gwylltio ni, be oedd yn rhaid i ni ei newid. Ddywedodd Math fawr ddim, ond wnaeth o ddim nadu, chwaith.

Wyddoch chi be? Wnaeth neb roi'r bai arna i am redeg i ffwrdd.

Dewi Sant a ddywedodd, 'Gwnewch y pethau bychain.' Rhyfedd mai yn Nhyddewi y cafodd Math a minna ein dal, achos ar ôl i ni fynd adref, pethau bychain wnaeth newid yn ein bywydau. Fel mae'n digwydd, roedd Dewi Sant yn foi reit gall, achos ma' newid y pethau bychain yn gallu achosi newid mawr yn y ffordd ma' rhywun yn teimlo.

Bydd Math yn dechrau yn ein hysgol ni pan fydd y tymor yn dechrau ymhen ychydig ddyddiau, ond mi fydd ganddo fo rywun i edrych ar ei ôl o yn y gwersi ac yn ystod amser egwyl. Mae hynny'n golygu y ca' i chwarae pêl-droed a bwyta cinio efo fy ffrindiau.

Mae ffrindiau gwaith Mam wedi gwneud trefniadau i warchod Math unwaith yr wythnos i Mam a minna gael mynd allan, efo'n gilydd neu ar wahân. Dw i'n mynd i fowlio deg efo criw o ffrindiau ysgol yn Llandudno fory.

Mae Mam a Math a minna wedi trefnu i fynd i wersylla yn Llangrannog at Llew a Daf ymhen rhyw bythefnos. Mae Mam braidd yn nerfus, dw i'n meddwl, ond mae hi'n dweud y bydd hi'n iawn os ydw i yno.

Bydd Dad yn symud yn ôl i'r gogledd cyn Dolig. Nid i'n tŷ ni, dalltwch – no wê – ond mae o'n dweud ei fod o'n dallt iddo fo wneud camgymeriadau, ac mae o isio gwneud iawn am y rheiny. Dwn i'm sut fydd pethau'n gweithio efo fo, ond dw i'n falch o weld ei fod o'n trio.

Mae pethau wedi newid rhywsut rhwng Math a minna hefyd, er na fedra i esbonio sut, yn union. Mae treulio'r wythnosau yna yng nghwmni ein gilydd fel petai wedi dod â ni'n agosach, ac wedi gwneud i ni sylweddoli ein bod ni angen amser ar wahân hefyd. Mae'r llun a dynnodd o yng nghadeirlan Tyddewi wedi'i fframio ar y landin, ac mae'n gwneud i mi wenu bob tro dw i'n ei basio.

Weithiau, pan fydd y tŷ yn dawel a Math yn cysgu yn ei wely, mi fydda i'n cau fy llygaid ac yn meddwl am Donfannau, am sŵn y tonnau, a sut roedd Math pan oedd o yno. Efallai na fydd pethau byth gystal ag oedden nhw yno ond, am rŵan, mae pethau'n iawn, ac mae hynny'n ddigon da i mi.

A dyna ni, Miss Jenkins – diwedd fy stori. Sorri. Mi wn i nad ydi o'n ddim byd tebyg i brosiect ar Gymru, ond dyma fy Nghymru i, ac mae o'n hanes difyr, ac yn wir, bob gair. 53,100 gair… Efallai nad ydach chi'n hapus efo fo, ond wyddwn i ddim y gallwn i sgwennu cymaint.

Ychydig funudau 'nôl, daeth Math i mewn i'r llofft lle ro'n i'n brysur yn teipio hwn, yn trio'i orffen. Eisteddodd ar ei wely a'r prism yn ei ddwylo, a golwg bell ar ei wyneb.

'Pam wyt ti'n licio'r prism yna gymaint?' holais wrth ei wylio.

'Dw i *yn* gwybod mod i'n gweld y byd yn wahanol i bawb arall, sti,' oedd ei ateb annisgwyl. Es i draw ac eistedd wrth ei ymyl.

'Pam rwyt ti'n deud hynna?'

'Dw i ddim yn dwp. Ti'n gweld petha fel hyn.' Estynnodd ei law gan gyfeirio at ein hystafell wely fel roedd hi, yn lliwiau llwydaidd a glas i gyd. 'A dw i'n gweld yr ystafell fel hyn.' Cododd y prism fel y gallwn i weld drwyddo, a gwelwn bob dim fel roedd Math yn ei weld – â lliwiau'r enfys yn gwawrio dros y byd i gyd.

'Mae o'n dlws.'

Nodiodd Math. 'Ond ma'r lliwiau'n llachar weithia, yn rhy lachar.' Trodd ata i. 'Wyt ti'n dallt?'

'Yndw,' atebais. A wyddoch chi be?

Dw i'n meddwl mod i.

Hefyd yng nghyfres yr Onnen

Aderyn Brau – Mared Llwyd
Rhester fer Tir na nOg 2010

Codi Bwganod – Rhiannon Wyn
Enillydd Tir na nOg 2010

Trwy'r Darlun – Manon Steffan Ros

Trwy'r Tonnau – Manon Steffan Ros
Enillydd Tir na nOg 2010

Yani – Mari Stevens
Rhester fer Tir na nOg 2010

Y Cwestiwn Mawr – Meinir Pierce Jones
Rhester fer Tir na nOg 2011

Stwff – Lleucu Roberts
Rhester fer Tir na nOg 2011

Bwystfilod a Bwganod – Manon Steffan Ros
Rhester fer Tir na nOg 2011

Am restr gyflawn o nofelau cyfoes Y Lolfa,
mynnwch gopi o'n catalog rhad
neu hwyliwch i mewn i'n gwefan

www.ylolfa.com

lle gallwch archebu llyfrau ar lein

*y***Lolfa**

Talybont Ceredigion Cymru SY24 5AP
ebost ylolfa@ylolfa.com
gwefan www.ylolfa.com
ffôn 01970 832 304
ffacs 832 782